125

LE GNOSTIQUE

OU

A CELUI QUI EST DEVENU DIGNE DE LA SCIENCE

© 1989, *Les Éditions du Cerf*.

ISBN 2-204-03190-9
ISSN 0750-1978

SOURCES CHRÉTIENNES
N° 356

ÉVAGRE LE PONTIQUE

LE GNOSTIQUE

OU

A CELUI QUI EST DEVENU DIGNE DE LA SCIENCE

ÉDITION CRITIQUE DES FRAGMENTS GRECS
TRADUCTION INTÉGRALE
ÉTABLIE AU MOYEN DES VERSIONS SYRIAQUES ET ARMÉNIENNE
COMMENTAIRE ET TABLES

PAR

Antoine GUILLAUMONT et **Claire GUILLAUMONT**

Professeur honoraire　　　　*Agrégée des Lettres*
au Collège de France　　　*Docteur en études grecques*
Membre de l'Institut

*Cet ouvrage est publié avec le concours
du Centre National de la Recherche Scientifique*

LES ÉDITIONS DU CERF, 29, Bd DE LATOUR-MAUBOURG, PARIS 7e
1989

INTRODUCTION

ABRÉVIATIONS ET SIGLES

I. — Œuvres d'Évagre

Antirrhétique	Version syriaque, éd. W. Frankenberg, *Euagrius Ponticus*, Berlin 1912, p. 472-545.
Bases	*Les bases de la vie monastique =* *Rerum monachalium rationes*, PG 40, 1252 D - 1264 C.
Disciples d'Évagre	Texte inédit. Cf. J. PARAMELLE et A. GUILLAUMONT, *Parole de l'Orient* VI-VII (1975-1976) *(Mélanges François Graffin s.j.),* p. 101-113 et p. 115-123[1].
Euloge	*Traité au moine Euloge = Tractatus ad Eulogium monachum*, PG 79, 1093 D - 1140 A.
Exhortation aux moines	*Institutio ad monachos*, PG 79, 1235 A - 1240 B, à compléter par MUYLDERMANS, *Le Muséon* 51 (1938), p. 191-226.
Huit esprits	*Des huit esprits de malice = De octo spiritibus malitiae*, PG 79, 1145 D- 1164 D.
in Prov.	*Scholies aux Proverbes*, éd. P. Géhin, *SC* 340, Paris 1987.

1. Les citations sont faites d'après une copie établie et obligeamment communiquée par le Père Paramelle. L'édition est préparée par P. Géhin.

in Ps.	*Scholies aux Psaumes, PG* 12, 1053 A - 1686 A ; J. B. Pitra, *Analecta sacra*, Paris 1876-1883, II, p. 444-483, et III, p. 1-364. Pour l'identification des textes se reporter à M.-J. RONDEAU, *OCP* 26 (1960), p. 327-348[2].
KG	*Les Képhalaia gnostica*, version syriaque, éd. A. Guillaumont, *Les six Centuries des Képhalaia gnostica d'Évagre le Pontique, PO* 28, 1 (1958).
Lettres	Version syriaque, éd. W. Frankenberg, *op. cit.*, p. 564-635. Fragments grecs, éd. C. Guillaumont (cf. *infra*).
Lettre sur la Trinité	Éditée comme lettre 8 de saint Basile, éd. Y. Courtonne, *Saint Basile, Lettres*, I, Paris 1957, p. 22-37.
Maîtres et disciples	Éd. P. Van den Ven, *Mélanges Godefroy Kurth*, Liège 1908, II, p. 73-81.
Moines	Sentences métriques *Aux moines*, éd. H. Gressmann, *Nonnensspiegel und Mönchsspiegel des Euagrios Pontikos, TU* 39, 4, Leipzig 1913, p. 152-165.
Pensées	*Des diverses mauvaises pensées = De diversis malignis cogitationibus, PG* 79, 1200 D - 1233 A ; à compléter par *PG* 40, 1240 A - 1244 B, et (recension longue) par MUYLDERMANS, *A travers la tradition manuscrite d'Évagre le Pontique*, Louvain 1932, p. 47-55.
Prière	*Traité de la Prière = De oratione, PG* 79, 1165 A — 1200 C.

2. Nos citations tiennent compte de variantes fournies par Mlle Marie-Josèphe Rondeau.

Skemmata   *Réflexions*, éd. J. Muyldermans, *Évagriana*, Paris 1931, p. 38-44.

TP   *Traité pratique* ou *Le moine*, éd. A. et C. Guillaumont, *SC* 170-171, Paris 1971.

Vierge   Sentences métriques *A une vierge*, éd. H. Gressmann, *op. cit.*, p. 143-151.

II. — Livres et articles

AMÉLINEAU, *De Historia Lausiaca*

> E. AMÉLINEAU, *De Historia Lausiaca quaenam sit hujus ad monachorum Aegyptiorum historiam scribendam utilitas*, Paris 1887.

FRANKENBERG

> W. FRANKENBERG, *Euagrius Ponticus* (*Abhandlungen der königlichen Gesellschaft der Wissenschaften zu Göttingen*, Philol.-hist. Klasse, Neue Folge, Bd XIII, 2), Berlin 1912.

A. GUILLAUMONT, *Képhalaia gnostica*

> A. GUILLAUMONT, *Les « Képhalaia gnostica » d'Évagre le Pontique et l'histoire de l'origénisme chez les Grecs et chez les Syriens* (*Patristica Sorbonensia*, 5), Paris 1962.

C. GUILLAUMONT, *Fragments grecs*

> Claire GUILLAUMONT, «Fragments grecs inédits d'Évagre le Pontique», dans J. Dummer (éd.), *Texte und Textkritik, TU* 133, Berlin 1987, p. 209-221.

HAUSHERR, *Les versions*

> I. HAUSHERR, *Les versions syriaque et arménienne d'Évagre le Pontique. Leur valeur, leur relation, leur utilisation* (*Orientalia Christiana* XXII, 2), Rome 1931[3].

---

3. Les renvois sont faits aux pages du volume (numérotation hors-crochets).

HAUSHERR, *Traité de l'oraison*

> I. HAUSHERR, *Le Traité de l'oraison d'Évagre le Pontique (Pseudo-Nil)*, Extrait de la *Revue d'Ascétique et de Mystique*, t. XV, Janvier-Avril 1934, Toulouse 1934[4].

HAUSHERR, *Nouveaux fragments*

> I. HAUSHERR, «Nouveaux fragments grecs d'Évagre le Pontique», *OCP* 5 (1939), p. 229-233.

Historia Monachorum

> *Historia Monachorum in Aegypto*, texte grec, éd. A. J. Festugière (*Subsidia hagiographica*, 53), Bruxelles 1971.

LAMPE

> *A Patristic Greek Lexicon* edited by G. W. H. Lampe, Oxford, 1961-1968.

LIDDELL-SCOTT

> *Greek-English Lexicon* compiled by H. G. Liddell and R. Scott, a new edition ... by H. S. Jones, Oxford 1948.

MUYLDERMANS, *Evagriana*

> J. MUYLDERMANS, *Evagriana*, Extrait de la revue *Le Muséon*, t. 42, augmenté de *Nouveaux fragments grecs inédits*, Paris 1931[5].

MUYLDERMANS, *Tradition manuscrite*

> J. MUYLDERMANS, *A travers la tradition manuscrite d'Évagre le Pontique*. Essai sur les manuscrits grecs conservés à la Bibliothèque Nationale de Paris (*Bibliothèque du Muséon*, 3), Louvain 1932.

MUYLDERMANS, *Evagriana Syriaca*

> J. MUYLDERMANS, *Evagriana syriaca*. Textes inédits du British Museum et de la Vaticane édités et traduits (*Bibliothèque du Muséon*, 31), Louvain 1952.

---

4. Les renvois sont faits aux pages de l'Extrait (numérotation entre crochets).

5. Les renvois sont faits aux pages de l'Extrait (numérotation en bas de page).

PALLADE, *HL*

> Dom C. BUTLER, *The Lausiac History of Palladius*, II (*Texts and Studies*, VI, 2), Cambridge 1904.

SARGHISIAN

> H. B. SARGHISIAN, *Vie et œuvres du saint Père Évagre le Pontique traduites du grec en arménien au ve siècle* (en arménien), Venise 1907.

III. — Collections et périodiques

BNJ   *Byzantinisch-neugriechische Jahrbücher* (Athènes).

DS   *Dictionnaire de spiritualité. Ascétique et mystique, doctrine et histoire* (Paris).

GCS   *Die Griechischen Christlischen Schriftsteller der ersten Jahrhunderte* (Berlin et Leipzig).

OCP   *Orientalia Christiana Periodica* (Rome).

PG   J. P. MIGNE, *Patrologia Graeca* (Paris).

PL   J. P. MIGNE, *Patrologia Latina* (Paris).

PO   R. GRAFFIN, F. GRAFFIN, *Patrologia Orientalis* (Paris et Turnhout).

RAM   *Revue d'ascétique et de mystique* (Toulouse et Paris).

RHE   *Revue d'histoire ecclésiastique* (Louvain).

RHR   *Revue de l'histoire des religions* (Paris).

SC   *Sources Chrétiennes* (Paris).

SVF   J. VON ARNIM, *Stoicorum Veterum Fragmenta*, 4 vol., éd. stéréo., Stuttgart 1964.

ThLZ   *Theologische Literaturzeitung* (Leipzig).

TU   *Texte und Untersuchungen zur Geschichte der altchristlichen Literatur* (Leipzig et Berlin).

MANUSCRITS UTILISÉS

I. — Manuscrits grecs

Athos
>
> *Pantocrator 101* (sur photographie).
> *Vatopedinus 57* (sur photographie).

Milan
>
> *Ambrosianus C 178 inf. (gr. 873)* (sur photographie).

Moscou
>
> *Mosq. Bibl. Syn. 439* (sur photographie).

Oxford
>
> *Bodleianus Baroccianus 81* (sur photographie).
> *Bodleianus Canonicianus Gr. 16* (sur photographie).

Paris, Bibliothèque Nationale
>
> *Paris. Graecus 39* (sur l'original).
> *Paris. Graecus 1220* (sur l'original).
> *Paris. Graecus 2748* (sur l'original).

Vienne
>
> *Vindob. theologicus Graecus 274* (sur photographie).

II. — Manuscrits syriaques

Berlin, Deutsche Staatsbibliothek
>
> *Syr. 27 (Sachau 302)* (sur photographie).

Birmingham
>
> Mingana Syr. 68 (sur photographie).

Londres, British Library

> *Or. 2312* (sur photographie).
> *Add. 12167* (sur photographie).
> *Add. 12175* (sur photographie).
> *Add. 14578* (sur photographie).
> *Add. 14579* (sur photographie).
> *Add. 14581* (sur photographie).
> *Add. 14582* (sur photographie).
> *Add. 14616* (sur photographie).
> *Add. 17165* (sur photographie).
> *Add. 17167* (sur photographie).
> *Add. 18817* (sur photographie).

Rome

> *Vaticanus Syr. 126* (sur photographie).

III. — Manuscrits arméniens

Arménie

> *Erivan 1357* (sur photographie).
> *Erivan 2540* (sur photographie).

Iran

> *Nouvelle-Djoulfa 114* (sur photographie).

Paris, Bibliothèque Nationale

> *Arm. 113* (sur l'original).

PREMIÈRE PARTIE

NATURE ET CONTENU DU LIVRE

CHAPITRE PREMIER

RAPPORTS DU *GNOSTIQUE*
AVEC LE *TRAITÉ PRATIQUE*

LE TITRE

Dans l'œuvre d'Évagre, le *Gnostique* fait suite au *Traité pratique* ou *Le moine*, précédemment édité[1]. Il forme avec ce traité et avec les *Képhalaia gnostica* une sorte de trilogie, comme Évagre lui-même l'indique dans sa *Lettre à Anatolios*, qui sert de prologue au *Traité pratique* : « Nous allons exposer maintenant, sur la vie pratique et la vie gnostique, non pas tout ce que nous avons vu et entendu, mais seulement ce que nous avons appris d'eux (= les « vieillards » ou anciens) pour le dire aux autres ; nous avons condensé et réparti l'enseignement pratique (τὰ πρακτικά)

---

1. Éd. Antoine et Claire GUILLAUMONT, Paris, 1971, dans *SC* 170-171. On trouvera au début du t. 170 un aperçu rapide sur la vie et l'œuvre d'Évagre le Pontique.

en cent chapitres, et l'enseignement gnostique (τὰ γνωστικά) en cinquante en plus des six cents[2]». Rédigé, lui aussi, sous la forme de κεφάλαια ou courts «chapitres», ce petit livre de 50 chapitres, soit une demi-centurie, fait en quelque sorte transition entre le *Traité pratique*, formé d'une centurie, et les six centuries des *Képhalaia gnostica*, gros ouvrage auquel il paraît être une introduction[3]. Comme ce dernier et à la différence du *Traité pratique*, le *Gnostique* n'est conservé intégralement que dans des versions orientales : une version arménienne et trois versions syriaques, l'une dite «commune», une seconde version et une troisième qui est en réalité une révision de la première ; du texte grec original il ne subsiste qu'un certain nombre de fragments représentant un peu plus de la moitié du livre[4].

Le lien existant entre le *Gnostique* et le *Traité pratique* est particulièrement étroit. Dans les manuscrits de la version syriaque commune, éditée par W. Frankenberg, le texte du *Gnostique* fait immédiatement suite à celui du *Traité pratique*, dont il continue la numérotation des chapitres[5] ; un titre unique couvre l'ensemble ainsi formé, qui est généralement, sauf variantes mineures, «Enseigne-

---

2. § 9, *SC* 171, p. 492-493.

3. Éd. Antoine GUILLAUMONT, dans *Patrologia Orientalis* 28, 1, Paris, 1958. L'ouvrage comporte seulement 540 chapitres, chaque centurie n'ayant que 90 chapitres ; sur le problème ainsi posé, voir *Id.*, *Les «Képhalaia gnostica» d'Évagre le Pontique et l'histoire de l'origénisme chez les Grecs et chez les Syriens*, Paris 1962, p. 18-22.

4. Ces fragments grecs et les versions sont présentés ci-dessous, p. 43 et suivantes.

5. W. FRANKENBERG, *Euagrius Ponticus*, Berlin 1912, p. 546-553 (avec une rétroversion grecque) : les chapitres du *Gnostique* sont numérotés de 104 à 151, selon la numérotation du manuscrit utilisé par l'éditeur, l'*Add. 14578* de la British Library, où les chapitres du *Traité pratique* sont numérotés de 1 à 103. La numérotation des chapitres ainsi que leur découpage sont variables selon les manuscrits, mais dans presque tous les manuscrits de cette version la numérotation du *Gnostique* continue celle du *Traité pratique*, cf. ci-dessous, p. 52 et suivantes.

ment et instruction de Mar Évagre aux frères moines qui sont dans le désert[6]». Une telle disposition semble avoir existé aussi dans la tradition manuscrite grecque, car les manuscrits qui conservent les plus nombreux extraits du *Gnostique* les donnent à la suite de ceux du *Traité pratique*, sans séparation ni titre distinct[7]; l'un d'eux introduit l'ensemble par le titre «Divers chapitres pratiques et gnostiques[8]».

Cependant l'historien Socrate, au vᵉ siècle, connaissait ces deux livres sous la forme de deux traités distincts; après avoir cité quelques chapitres du *Traité pratique* il conclut : «Voilà ce qu'Évagre a dit littéralement dans son traité intitulé *Le Pratique* (ἐν τῷ ἐπιγραφομένῳ αὐτοῦ πρακτικῷ)»; à quoi il ajoute : ἐν δὲ τῷ γνωστικῷ, «et dans *Le Gnostique*», pour introduire des citations de ce dernier livre[9]. Un peu plus haut, donnant une liste des livres d'Évagre qu'il connaît, il écrit : «parmi lesquels l'un est intitulé *Le moine* ou *Sur la pratique*, l'autre *Le Gnostique* ou *A celui qui est devenu digne de la science*, en cinquante chapitres», τὸ δὲ γνωστικὸς ἢ πρὸς τὸν καταξιωθέντα γνώσεως, κεφάλαια δὲ αὐτοῦ πεντήκοντα[10]. Socrate donc les présente comme deux livres distincts et donne un titre pour chacun

---

6. Cf. *SC* 170, p. 320.

7. Voir *ibid.*, p. 223, 230, 234, 240 et, ci-dessous, p. 43 et suivantes.

8. *Ibid.*, p. 250 et, ci-dessous, p. 46.

9. *Histoire Ecclésiastique* IV, 23, *PG* 67, 520 A (cf. *SC* 170, p. 402).

10. *Ibid.* 516 A; sur le titre donné par Socrate au premier livre μοναχὸν ἢ περὶ πρακτικῆς, voir *SC* 170, *loc. cit.* En un autre endroit (*H.E.* III, 7, 396 B), Socrate, citant deux autres chapitres du *Gnostique*, les introduit par les mots ἐν τῷ μοναχικῷ; il ne s'agit pas ici d'un titre, mais d'un nom commun : «dans son ouvrage sur les moines» (cf. *SC* 170, p. 403). La mention d'un μοναχικὸν βιβλίον introduisant un court fragment du chapitre 47 du même livre apparaît aussi dans un manuscrit des *Sacra Parallela* du pseudo-Damascène, cf. P. GÉHIN, *Les textes attribués à Évagre dans les florilèges damascéniens*, à paraître dans ΑΝΤΙΔΩΡΟΝ II (Mélanges M. Geerard); cette mention est probablement inspirée par Socrate, d'après lequel la citation semble faite, cf. ci-dessous, p. 186.

d'eux, en particulier pour le second. Ce précieux témoignage de Socrate est confirmé par les manuscrits de la seconde
version syriaque, qui est vraisemblablement aussi du
Vᵉ siècle. Dans celle-ci, le *Gnostique* n'est pas précédé du
Traité pratique et il est introduit par un titre qui
correspond très exactement à la seconde partie du titre
donné par Socrate, « A celui qui est devenu digne de la
science », ⲣⲁⲩⲗ̄ ,ⲟⲇⲉⲣⲓ ⲣⲟⲩⲣ ⲇⲟⲗⲓ [11]. Le livre
est donc présenté comme un traité indépendant, pourvu
d'un titre qui lui est propre. De ce titre, ou du moins de la
première partie qu'en donne Socrate, la tradition manuscrite de la version commune conserve elle-même la trace ;
dans certains manuscrits, en effet, de cette version (où,
comme on l'a vu, *Traité pratique* et *Gnostique* forment un
seul livre), on lit, transporté accidentellement avant le
chapitre 54 du *Traité pratique*, le titre « Livre du Gnostique », ⲟⲟⲁⲟⲗ̄ⲟⲓⲥⲓⲓ ⲣⲟⲇⲁ [12]. Bien plus, le titre « Le
gnostique » s'est conservé, d'une certaine manière, dans
plusieurs manuscrits de cette version, en tête du premier
chapitre du *Gnostique* ; on lit, en effet, dans le texte édité
par Frankenberg : « Les gnostiques et les pratiques… »
alors que le texte authentique de ce chapitre dit seule-

---

11. Titre donné par l'*Add. 17165* de la British Library ; l'autre
manuscrit de cette version, *Add. 14616*, a « A un frère qui est devenu
digne de la science », variante due à une évidente confusion graphique
(ⲣⲟⲩⲣ lu pour ⲣⲟⲩⲣ) ; cf. ci-dessous, p. 61. En faveur de
l'authenticité évagrienne de ce titre est l'usage qu'Évagre lui-même
fait assez fréquemment de la formule « être devenu digne de la
science » : cf. *in Ps.* 43, 4 (*PG* 12, 1424 B) ; *in Ps.* 44, 17 (texte inédit) ;
in Ps. 68, 29 (*PG* 12, 1517 B) ; *in Prov.* 19, 17 (Géhin, sch. 199,
p. 294) ; *in Prov.* 24, 11 (sch. 269, p. 362) ; *KG* VI, 90 (p. 255) ; etc.

12. Le fait est relevé par J. Muyldermans, *Evagriana Syriaca*,
Louvain 1952, p. 70, d'après l'*Add. 14578* ; ce titre se lit aussi, à la
même place, dans les manuscrits *Add. 14582* et *Add. 12167*. Il faut
rétablir le dâlath, omis par Muyldermans, devant le second mot et
donc traduire, non pas *liber gnosticus*, mais *liber gnostici*, simple
transcription du grec βιβλίον τοῦ γνωστικοῦ.

ment : «Les pratiques…»; le mot «Le gnostique» était primitivement le titre du livre, mais il a cessé d'être considéré comme tel quand les chapitres du *Gnostique* ont été numérotés à la suite de ceux du *Traité pratique* et il a été mis au pluriel pour pouvoir être intégré dans la syntaxe du premier chapitre[13]. Dans la version arménienne, telle qu'elle est éditée par Sarghisian, les deux traités sont mis sous un titre commun : «Le gnostique et le pratique»; mais le texte du *Gnostique* vient en tête, sans numérotation des chapitres, suivi, après un nouveau titre («D'Évagre») par la *Lettre à Anatolios* et le *Traité pratique*, dont les chapitres sont numérotés[14]. Malgré le titre commun, les deux traités sont donc bien différenciés.

Bien que devant être considérés comme deux livres distincts, le *Traité pratique* et le *Gnostique* n'en sont pas moins étroitement liés. Des chapitres font transition de l'un à l'autre : le chapitre 90 du *Traité pratique*, qui est une conclusion à ce qui fut probablement une première rédaction de ce livre, annonce, après les larmes et les peines de la pratique, les joies que la science procurera au gnostique[15]; d'autre part, les trois premiers chapitres du

13. Ce texte est celui, non seulement du manuscrit suivi par Frankenberg, mais aussi de la plupart des autres manuscrits; dans certains cependant le mot «et» est absent : «Les gnostiques, les pratiques…»; dans l'un d'eux on lit simplement : «Les pratiques…» (cf. ci-dessous, p. 57); on peut donc suivre le processus de la faute. Dans le manuscrit de la troisième version, le *Gnostique* n'est introduit par aucun titre, mais il n'est pas précédé du *Traité pratique* et il a une numérotation des chapitres qui lui est propre, de 1 à 50 (cf. ci-dessous, p. 59); il est donc présenté comme un traité indépendant.

14. H. Barsel V. Sarghisian, *Du saint Père Évagre le Pontique vie et œuvres traduites du grec en arménien au Vᵉ siècle* (en arménien), Venise 1907, p. 12-22. Les autres manuscrits utilisés par nous portent également le titre «Le gnostique et le pratique», mais le *Gnostique* est placé tantôt avant, tantôt après le *Traité pratique* (cf. ci-dessous, p. 63-64).

15. Cf. *SC* 171, p. 690-691; sur une première rédaction du *Traité pratique*, voir *SC* 170, p. 120 et p. 381-386.

Gnostique définissent, en les opposant l'un à l'autre, le « pratique », c'est-à-dire celui qui a parcouru la voie décrite dans le livre précédent, et le gnostique, qui, grâce à l'impassibilité acquise par la pratique, a accès à la science. Il y a en outre, entre les deux livres, des correspondances internes : les chapitres 42 et 43 du *Gnostique*, où sont définis la tentation, puis le péché du gnostique, font écho aux chapitres 74 et 75 du *Traité pratique*, où étaient pareillement définis la tentation et le péché du « moine », c'est-à-dire de celui qui s'exerce dans la pratique[16] ; de même les chapitres 89 du *Traité pratique* et 44 du *Gnostique* se correspondent : tous deux, se référant également à l'enseignement de Grégoire de Nazianze, définissent, l'un les vertus du pratique, l'autre les vertus du gnostique. Enfin il y a, entre les deux livres, une certaine analogie de structure : le *Traité pratique* est formé d'une centurie, le *Gnostique* d'une demi-centurie seulement, mais le premier livre se termine par une dizaine de chapitres qui, à l'exception du dernier, lequel sert de conclusion à l'ensemble du traité, sont autant d'apophtegmes ou paroles de moines, destinés, semble-t-il, à garantir, par référence à la tradition du désert, la doctrine exposée dans ce livre[17] ; de même à la fin du *Gnostique* sont insérés, avant les deux derniers chapitres qui sont la conclusion du livre, cinq chapitres (44-48) formés de citations, non plus de moines donnant un enseignement pratique, mais, étant donné le sujet du livre, de théologiens faisant autorité en matière de science spirituelle[18].

---

16. Cf. *SC* 171, p. 662-663 (avec les notes).

17. Cf. *ibid.*, p. 692-711, et *SC* 170, p. 118-120.

18. L'identification de ces citations reste un problème non résolu. Nos recherches pour les identifier dans les œuvres des auteurs auxquels elles sont attribuées ont été vaines. Les meilleurs spécialistes consultés, J. Mossay pour Grégoire de Nazianze, J. Gribomont pour Basile, P. Nautin pour Athanase, Dom G. Couilleau pour Sérapion de

Tous ces indices donnent à penser que le *Gnostique* a été composé à la suite de la rédaction en cent chapitres du *Traité pratique*, mais avant sa rédaction définitive comprenant le prologue et l'épilogue[19].

Thmuis et L. Doutreleau pour Didyme, nous ont tous également donné une réponse négative. Voir ci-dessous, les notes des ch. 44-48.

19. Sur la date des différentes rédactions du *Traité pratique*, voir *SC* 170, p. 387-388.

CHAPITRE II

LE SUJET DU LIVRE :
L'ENSEIGNEMENT DU GNOSTIQUE

1. Définition et fonction du gnostique

La «pratique», πρακτική, est définie comme «la méthode
spirituelle qui purifie la partie passionnée de l'âme[1]» : elle
vise à libérer l'âme des passions, donc à procurer
l'impassibilité, laquelle est la condition nécessaire pour
entrer dans la vie gnostique, la γνωστική, goûter à la
«gnose», γνῶσις, la science ou contemplation spirituelle[2].
Par là le moine, de «pratique», πρακτικός, devient un
«gnostique», γνωστικός.

Employé d'abord comme adjectif, le mot γνωστικός
apparaît chez Platon, qui, dans le *Politique*, divisant
l'ensemble des sciences en deux parties, oppose à la science
«pratique», πρακτικὴ ἐπιστήμη, la science «gnostique»
γνωστικὴ ἐπιστήμη[3] ; il paraît propre à la tradition platoni-

1. *TP* 78 ; cf. ci-dessous ch. 49, p. 191.
2. Si nous avons gardé, en français, le mot «gnostique» pour rendre
le grec γνωστικός, nous avons, en revanche, évité, pour traduire γνῶσις,
le mot «gnose», afin de ne pas donner arbitrairement une coloration
gnostique au système d'Évagre ; nous avons préféré le mot «science»,
par quoi il faut comprendre, non pas la science rationnelle, mais la
science spirituelle, science spirituelle des natures créées qui culmine
dans la science de Dieu.
3. *Politique* 258 e - 259 a ; cf. *SC* 170, p. 40.

cienne et pythagoricienne[4] ; il est quasi étranger à Aristote
et aux stoïciens, qui, à πρακτικός, opposent plus volontiers
θεωρητικός[5]. L'emploi du mot comme substantif apparaît
avec ceux que nous appelons encore les «Gnostiques»,
membres de sectes philosophico-religieuses des iie et
iiie siècles, plus exactement appliqué d'abord à certains
d'entre eux, qui s'appelaient eux-mêmes «Gnostiques»,
comme l'atteste saint Irénée[6]. Le terme s'est ensuite
étendu, appliqué à tous les sectaires qui prétendaient avoir
la science par excellence, la «gnose». Ce sont eux que
combat saint Irénée dans son Adversus haereses : aussi le
mot a-t-il d'abord une connotation péjorative, désignant
les adhérents d'une «pseudo-gnose», d'une «gnose faussement nommée», ψευδώνυμος γνῶσις[7]. C'est avec Clément
d'Alexandrie que le mot γνωστικός reçoit ses lettres de
noblesse dans la littérature chrétienne, pour désigner, en
face de ceux qui se disaient faussement «gnostiques», le
«vrai gnostique», c'est-à-dire le chrétien qui, par la
pratique des vertus et l'étude, parvient à une certaine
connaissance spirituelle que n'ont pas en partage les
simples fidèles, qui s'en tiennent aux données de la foi[8].
Rare chez Origène, qui lui a préféré le mot τέλειοι,
«parfaits», pour désigner cette même catégorie de chrétiens, le mot a été recueilli directement par Évagre et c'est
à la suite de celui-ci qu'il est devenu courant dans la

4. Cf. Morton SMITH, «The History of the Term Gnostikos», dans
B. LAYTON (éd.), The Rediscovery of Gnosticism II, Leiden 1981,
p. 796-817.
5. Cf. SC 170, p. 41-42.
6. Cf. A. ROUSSEAU et L. DOUTRELEAU, SC 263, p. 299-300, et,
pour le texte d'Irénée, SC 264, p. 166-167. Voir aussi ORIGÈNE, Contre
Celse V, 61, éd. M. Borret, SC 147, p. 166-167.
7. L'expression est déjà dans I Tim. 6, 20.
8. Cf. W. VÖLKER, Der wahre Gnostiker nach Clemens Alexandrinus,
Leipzig 1952, et Th. CAMELOT, Foi et Gnose. Introduction à l'étude de la
connaissance mystique chez Clément d'Alexandrie, Paris 1945.

littérature monastique[9]. Le gnostique d'Évagre est un rejeton, en filiation directe, de celui de Clément d'Alexandrie[10].

Or, comme le gnostique de Clément, le gnostique d'Évagre a pour fonction essentielle l'enseignement. Devenu un «gnostique», le moine n'a plus seulement, comme le pratique, à se préoccuper de lui-même et de sa propre purification; il doit venir en aide aux autres, enseigner à ceux qui sont encore dans la pratique comment ils se purifieront des passions et, d'autre part, initier aux mystères de la science spirituelle ceux qui, suffisamment purifiés, en sont devenus dignes, c'est-à-dire, comme dit Évagre (ch. 3), être «sel» pour les uns et «lumière» pour les autres. Le gnostique sera donc un maître, un docteur. Le sujet de ce petit livre est précisément l'enseignement du gnostique[11]. A quelles conditions le gnostique pourra-t-il enseigner? Qu'enseignera-t-il? Comment enseignera-t-il? Telles sont les questions auxquelles ce livre répond.

2. A quelles conditions le gnostique enseignera-t-il?

La vie gnostique suppose acquise l'impassibilité, ou du moins une certaine impassibilité. Évagre a, en effet, une conception très nuancée de l'impassibilité : celle-ci comporte, pour lui, des degrés, depuis la «petite impassibilité», ou «impassibilité imparfaite», atteinte quand ont été vaincues les passions qui viennent de la partie concupisci-

9. De même en syriaque, par le truchement des versions d'Évagre, les termes ꭓꭓꭓ et ꭓꭓꭓ, qui servent à le traduire.

10. Cf. A. GUILLAUMONT, «Le gnostique chez Clément d'Alexandrie et chez Évagre le Pontique», *Alexandrina. Mélanges offerts à Claude Mondésert*, Paris 1987, p. 195-201.

11. Il ne traite pas du contenu même de la science, notamment des «dogmes» qui sont les grandes thèses de la métaphysique évagrienne : ceux-ci font l'objet du gros ouvrage des *Képhalaia gnostica*.

ble de l'âme, ou «passions du corps», jusqu'à l'«impassibilité parfaite», qui sera obtenue seulement par la victoire sur toutes les passions, y compris celles qui viennent de la partie irascible, ou «passions de l'âme[12]». La vie gnostique commence quand on est parvenu au seuil de l'impassibilité et elle se développe au fur et à mesure que l'on progresse vers l'impassibilité parfaite, à vrai dire jamais pleinement réalisée dans la condition humaine, car elle est proprement angélique. La pratique, c'est-à-dire la purification de l'âme, se poursuit donc, d'une certaine manière, dans la vie gnostique. Les vertus elles-mêmes de la pratique, le gnostique ne doit cesser de les cultiver, en poursuivant les exercices qui les procurent; pour lui restent valables les recommandations qu'Évagre adressait au pratique, voire au débutant, dans les *Bases de la vie monastique*[13] : se garder des distractions qu'entraîne la fréquentation de beaucoup de gens (ch. 11), des soucis (ch. 10) comme de toute préoccupation concernant la nourriture ou le vêtement (ch. 38), dompter son corps, comme le faisait saint Paul, par un régime sévère (ch. 37). Mais si «toutes les vertus fraient la route au gnostique» (ch. 5), celui-ci a surtout, pour se maintenir et progresser dans la vie gnostique, à se purifier des passions qui proviennent de la partie irascible de l'âme, et d'abord de la colère elle-même, qui est le principal obstacle à la science spirituelle[14] : elle s'oppose à elle comme l'erreur s'oppose à la science «extérieure», rationnelle (ch. 4). Aussi le gnostique doit-il être «exempt de colère, de rancune et de

12. Cf. *SC* 170, p. 108-110. Sur la distinction entre les passions du corps, celles qui viennent de la partie concupiscible, et les passions de l'âme, qui viennent de la partie irascible, voir les ch. 35-38 du *TP* et les notes afférentes, *SC* 171, p. 580-589. Voir aussi ci-dessous, ch. 31.

13. *PG* 40, 1252 D - 1264 C.

14. C'est là une idée sur laquelle Évagre insiste beaucoup aussi dans ses autres livres, voir les références données ci-dessous, en note au ch. 5.

tristesse» (ch. 10), laquelle tristesse est une passion de l'âme étroitement liée à la colère[15]. Pour cela, il évitera, en particulier, les procès, dût-il subir l'injustice (ch. 8); il restera, pour la même raison, insensible aux calomnies et aux critiques, sachant qu'elles sont une tentation des démons qui, pour l'empêcher de goûter à la science, cherchent à susciter en lui la haine et la rancune (ch. 32). Il doit donc parvenir à l'absence de toute colère, ἀοργησία (ch. 5); cet état paisible de la partie irascible est ce qu'Évagre appelle ailleurs la «douceur», laquelle est très proche de la charité[16]. Celle-ci, qui est dite «fille de l'impassibilité» et «porte de la science», est la vertu par excellence du gnostique[17]; pour Évagre, en effet, comme pour Clément d'Alexandrie, impassibilité, charité et science sont étroitement unies. La charité est d'abord l'aumône : le gnostique ne saurait s'en dispenser, mais la manière qui lui est propre d'exercer l'aumône, c'est précisément l'enseignement (ch. 7). Il satisfera donc au devoir de charité en enseignant, mais en enseignant de façon désintéressée, et non «en vue du gain, du bien-être ou pour une gloire passagère», sinon il serait semblable aux marchands chassés du temple (ch. 24). Affable et accueillant à l'égard de ceux qui viennent à lui — sans condescendance excessive cependant, pour ne pas détruire l'équilibre des vertus (ch. 6) —, il n'aura d'autre but que de conduire les autres dans la voie du salut en leur enseignant la vérité (ch. 22). Toute recherche, en effet, qui est inspirée par quelque passion ou qui n'est pas faite seulement en vue du bien ne peut aboutir qu'à la «fausse science», qui est par excellence «le péché du gnostique» (ch. 43).

---

15. Cf. *TP* 10 et 11, ainsi que les notes dans *SC* 171, p. 515-520.
16. Voir, ci-dessous, note au ch. 5, p. 94.
17. *TP* prologue 49-50 et ch. 81.

3. Qu'enseignera le gnostique?

Certes, comme on l'a vu, le gnostique ne manquera pas d'enseigner à ceux qui sont encore dans la pratique comment ils continueront à se purifier des passions (ch. 3 et 31); mais la fonction du gnostique, telle qu'elle est présentée dans ce livre, est surtout d'enseigner, à ceux qui sont devenus capables de la recevoir, la «gnose» ou science spirituelle, qu'il a lui-même acquise. Cette science, ou contemplation, spirituelle, à laquelle on accède par l'impassibilité (ch. 45), mais aussi moyennant la grâce de Dieu (ch. 4), permet de comprendre les natures créées, corporelles et incorporelles, visibles et invisibles, dans ce qu'Évagre, empruntant le mot à la terminologie stoïcienne, appelle leurs *logoi*, mot qui, dans la version syriaque commune, est rendu, le plus souvent, de façon littérale, par ܡܠܬܐ, «paroles» (de même en arménien, բանք), mais, plus intelligemment, dans la version révisée, par ܣܘܟܠܐ, «intellections». Le *logos* d'une nature, en effet, est son principe à la fois ontologique et explicatif, sa raison d'être et sa raison; c'est pourquoi «raison» nous paraît la meilleure traduction en français (ch. 4, 15, 25, 40, 44); contempler le *logos* d'une nature, c'est la saisir dans l'idée qui a présidé à sa création et donc la comprendre dans son essence. Parmi les *logoi* il y a ceux qu'Évagre appelle «les *logoi* de la providence et du jugement» : ce sont ceux qui concernent la constitution présente du monde et les dispositions prises par Dieu pour assurer le salut de tous les êtres raisonnables, conformément aux grandes thèses de la cosmologie et de l'eschatologie évagriennes (ch. 36 et 48).

De la science spirituelle relève aussi l'exégèse de l'Écriture, qui occupe une place majeure dans l'enseignement du gnostique et à laquelle sont consacrés plusieurs chapitres de ce livre. De même que la science des natures

visait à découvrir leurs «raisons» par delà leur apparence
sensible, de même l'exégèse qu'Évagre, en fidèle disciple
d'Origène, recommande à son gnostique consiste à découvrir, par delà la lettre du texte scripturaire, le sens
spirituel ou allégorique. Le gnostique cherchera donc à
établir le sens réel du texte, en tenant compte, comme le
recommandait déjà Origène, des «habitudes» de l'Écriture
(ch. 19), à déterminer de quel ordre doctrinal il relève, soit
de la «pratique» ou éthique, soit de la «physique» ou
science des natures, soit de la «théologie» ou science de
Dieu, selon la division tripartite familière à Évagre
(ch. 18); il prendra garde au fait que le sens allégorique
d'un texte n'est pas nécessairement du même ordre que le
sens littéral (ch. 20). Évagre impose cependant certaines
limites à l'exégèse allégorique : il recommande au gnostique de ne pas chercher une signification spirituelle pour
toutes les paroles rapportées par le texte biblique (ch. 21)
et à ne pas vouloir interpréter allégoriquement les
moindres détails du récit, ce qui l'exposerait au ridicule
(ch. 34).

4. Comment le gnostique enseignera-t-il?

Dans son enseignement le gnostique n'aura qu'un seul
but, le salut de ceux qu'il a charge d'instruire ; il ne doit
donc enseigner que ce qui sert à cette fin. Mais cela varie
selon la situation de chacun par rapport au progrès
spirituel : toute vérité n'est pas bonne à dire à tous et à
tout moment. Aussi le gnostique, suivant la règle d'or de
toute pédagogie, devra-t-il s'adapter au niveau de chacun ;
pour cela il est nécessaire qu'il connaisse de façon exacte
l'état, le genre de vie, de ses auditeurs, afin de pouvoir
«dire à chacun ce qui lui est utile» (ch. 15). Énumérant les
vertus propres au gnostique, d'après ce qu'il prétend avoir
appris de son maître Grégoire de Nazianze, Évagre définit

la justice comme la vertu dont le rôle est de «distribuer à
chacun selon son rang»; pour cela, le gnostique exposera
clairement ce qui est utile aux «simples», c'est-à-dire à
ceux qui sont encore au début de la vie spirituelle, mais il
formulera de façon obscure, voire énigmatique, les doctrines que seuls ceux qui sont suffisamment avancés peuvent
comprendre (ch. 44). A tous, notamment aux séculiers et
aux jeunes moines, convient l'enseignement de l'éthique
ou de la «pratique», qui vise à la purification de l'âme et à
la victoire sur les passions; mais en cela même il y a des
degrés : aux jeunes le gnostique enseignera comment ils
vaincront les passions qui, chez eux, viennent surtout de la
concupiscence et, aux plus âgés, comment ils lutteront
contre celles qui, chez eux, viennent surtout de la partie
irascible de l'âme (ch. 31). Mais de ce qui relève de la
«physique», c'est-à-dire de la science spirituelle des
natures, et de la théologie, il ne convient de dire à ceux qui
sont encore des débutants, les jeunes et les séculiers, que le
minimum nécessaire pour le salut (ch. 12 et 13). L'enseignement de ces matières est réservé à ceux qui, devenus
suffisamment impassibles, sont capables de le recevoir :
discuter de ce qui appartient à la science spirituelle quand
on est encore sujet aux passions, c'est être pareil à ces
malades qui discutent de la santé (ch. 25). Bien plus, ce
peut être dangereux, car une vérité mal comprise peut être
cause de chute *(ibid.).* Les doctrines concernant «les
raisons de la providence et du jugement», c'est-à-dire les
thèses de la métaphysique évagrienne, de la cosmologie et
de l'eschatologie, ne devront pas être enseignées aux
séculiers et aux jeunes, car, non seulement ils ne peuvent
les comprendre, mais surtout elles risqueront, mal comprises, de les inviter au relâchement : qui n'a pas goûté à la
science spirituelle ne peut pas comprendre, en effet, que
l'ignorance soit, pour ceux qui ont mal vécu, un châtiment
(ch. 36). Aussi le gnostique veillera-t-il à ce que ces
doctrines ne soient pas exposées devant les jeunes, mais

aussi à ce que les livres qui les exposent ne soient pas mis
en leurs mains (ch. 25). En conséquence il observera, dans
son enseignement, une rigoureuse gradation, de façon à
rester toujours au niveau de son auditoire ; il se mettra
même un peu au-dessous de ce niveau, de façon à ne
s'élever que lorsqu'il s'y sentira invité par ses auditeurs
(ch. 29) ; s'il est interrogé sur une question à laquelle il
estime qu'il ne doit pas répondre, il feindra l'ignorance, ce
qui, en l'occurrence, ne saurait être réputé un mensonge
(ch. 23). Il organisera son enseignement en deux temps :
celui de l'exposé et celui de la discussion, et n'admettra à
celle-ci que ceux qui sont suffisamment avancés, toute
discussion sur des sujets qui dépassent ceux qui s'y livrent
ne pouvant qu'être le fait de disputeurs et d'hérétiques
(ch. 26).

Le gnostique usera donc de prudence dans son enseignement, faisant silence sur les sujets les plus élevés de la
science spirituelle, ou du moins les réservant à ceux qui en
sont capables et les exprimant en termes voilés et obscurs
pour n'être compris que de ceux-là, comme l'Écriture elle-
même révèle les vérités les plus hautes sous le voile de
l'allégorie. Certains sujets seront même réservés à
quelques-uns : ainsi le sens symbolique de l'action eucharistique ne sera révélé qu'aux prêtres, qui sont en principe
des gnostiques, et encore aux meilleurs d'entre eux
seulement (ch. 14). Sur la science de Dieu ou théologie,
plus encore que sur la science des natures, s'impose une
grande réserve. Si la science des natures, comme celle qui
s'applique aux réalités de la pratique, doit nécessairement
recourir à des définitions (ch. 17), quand il s'agit de Dieu, il
ne faut pas chercher à le définir ni parler de lui
inconsidérément (ch. 27) ; rien, en effet, ne lui convient de
ce qui s'applique aux natures créées : le silence s'impose à
l'égard de l'Ineffable (ch. 41). Cependant le gnostique lui-
même doit, dépassant la science des natures, la physique,
accéder, dans une certaine mesure, à la théologie, qui

tournera son regard vers la Cause première, car c'est en ayant le regard ainsi tourné vers l'Archétype divin qu'il modèlera les « images » que sont les intellects de ceux qu'il a charge d'enseigner (ch. 49 et 50).

5. Situation de cet enseignement :

a - dans le milieu monastique

Dans quelle situation concrète faut-il se représenter l'enseignement du gnostique tel que le décrit Évagre? Peut-être faut-il d'abord, pour cela, se rappeler le genre de vie des moines des Kellia, parmi lesquels vivait Évagre ; ce genre de vie, de type semi-anachorétique, était aussi celui des moines de Nitrie et de Scété, qui nous est connu principalement par les *Apophthegmata Patrum* ; ceux-ci font connaître précisément l'enseignement, essentiellement oral, qui était transmis dans ce milieu monastique. L'« apophtegme » est une réponse, brève et concise, donnée par un ancien, un « vieillard » comme l'on disait, à un jeune moine qui vient le trouver et lui pose la question habituelle : « Dis-moi une parole : comment je serai sauvé[18] ». L'enseignement donné et transmis vise donc essentiellement le salut, tout comme celui que donne le gnostique d'Évagre, et il se formule en un apophtegme concis et bref, comme l'est aussi le « chapitre » d'Évagre. Le plus souvent il s'agit d'un enseignement individuel, mais on voit parfois plusieurs moines aller consulter ensemble un grand ancien[19] ; parfois même l'ancien fait une véritable conférence, comme l'exposé que fait Paphnuce, en présence de Pallade, d'Albinus et d'Évagre lui-même, sur la

---

18. Cf. Ammonas 1, *PG* 65, 120 A ; Arès, *ibid.* 132 C ; Hiérax 1, *ibid.* 232 C ; Macaire Eg. 23, *ibid.* 272 B ; 27, *ibid.* 272 D ; etc.

19. Par exemple, Antoine 12, 17, 18, 19, 26, 27, *ibid.* 77 CD, 80 D, 81 AB, 84 CD.

déréliction, au chapitre 47 de l'*Histoire lausiaque*, exposé
auquel semble faire écho le chapitre 28 du *Gnostique*[20].
Outre les visites que les solitaires pouvaient se rendre ainsi
pendant la semaine, ils avaient l'occasion de se rencontrer
lors des synaxes des samedis et dimanches et, en ces
occasions, les jeunes moines avaient la possibilité d'entendre des conférences spirituelles faites par tel ou tel
ancien[21]. Si l'on en croit la recension longue de la vie
d'Évagre conservée en copte, Évagre lui-même avait une
telle habitude : le samedi et le dimanche, les frères se
rassemblaient autour de lui et l'interrogeaient, la nuit
durant[22]. La même vie rapporte que, chaque jour, il
recevait dans sa cellule cinq ou six personnes venant des
régions extérieures pour écouter son enseignement[23]. Nous
savons, d'autre part, par Pallade qu'aux Kellia se
constitua autour d'Évagre et de son ami Ammonios une
communauté que l'on appelait «l'entourage d'Ammonios
et d'Évagre», ou simplement «l'entourage du bienheureux
Évagre», ou encore «la communauté, συνοδία, la fraternité,
ἑταιρεία, d'Évagre[24]»; de cette communauté Évagre
apparaît donc comme étant le maître, le διδάσκαλος, comme
l'appelle Pallade, qui y fut son disciple[25]. Il est vraisemblable qu'Évagre y donnait un enseignement : Pallade lui-
même mentionne l'enseignement, διδασκαλία, d'Évagre, qui
était l'objet de critiques de la part d'autres moines[26]; ces

20. Éd. Butler, p. 136-142. Voir la note au ch. 28, ci-dessous,
p. 137.

21. Cf. *Apophthegmata Patrum*, Jean Colobos 8, *PG* 65, 205 C :
«Comme Jean était assis devant l'église, les frères faisaient cercle
autour de lui et l'interrogeaient...»

22. E. AMÉLINEAU, *De Historia Lausiaca*, Paris 1887, p. 114.

23. *Ibid.*, p. 115.

24. *Histoire lausiaque*, ch. 24, éd. Butler p. 77, 18 - 78, 1 ; ch. 35,
ibid. p. 101, 4-5 et p. 102, 9 et 11.

25. *Ibid.*, ch. 23, p. 75, 5 ; ch. 38, p. 122, 6, il est fait mention «d'un
des disciples» (μαθητῶν) d'Évagre.

26. *Ibid.*, ch. 26, p. 81, 5.

critiques visaient l'exégèse allégorique que préconisait
Évagre et par laquelle il fondait sur l'Écriture sa doctrine,
en particulier les grandes thèses de sa métaphysique ; ce
fut là l'occasion de la querelle qui opposa, à çeux que leurs
adversaires appelaient « origénistes », ceux qui étaient dits
« anthropomorphites », parce qu'ils s'en tenaient à une
exégèse littérale de l'Écriture, en particulier du texte (*Gen.*
1, 13) disant que Dieu créa l'homme « à son image et
ressemblance[27] ».

b - dans la tradition scolaire

On peut donc trouver dans le *Gnostique*, dans une
mesure qu'il est difficile de déterminer concrètement,
l'évocation d'un enseignement qu'Évagre donnait au
désert des Kellia ; on l'imagine volontiers lui-même dans la
situation qu'évoquent certains chapitres, où l'on voit le
gnostique donner un enseignement soit à des moines venus
le voir (ch. 35), soit à des auditeurs assis en cercle autour
de lui, dans une atmosphère familière d'où rires et
plaisanteries n'étaient pas exclus (ch. 29 et surtout 34).
Mais le livre doit être situé dans des perspectives plus
larges, qui sont celles de la tradition scolaire et savante
qu'Évagre lui-même a reçue. Nous sommes malheureusement très mal informés sur la formation scolaire que reçut
Évagre, dont toute l'œuvre témoigne d'une profonde
culture rhétorique et philosophique. Pallade, dans le
chapitre de son *Histoire lausiaque* qu'il consacre à Évagre,
mentionne seulement les relations que celui-ci eut avec
Basile et Grégoire de Nazianze, qu'il connut probablement, étant encore jeune adolescent, dans les années que
les deux amis passèrent ensemble, vers 360, à Annésoi,

---

27. Sur cette controverse, à laquelle semble faire allusion, ici, le
ch. 32, ci-dessous, p. 149, voir A. GUILLAUMONT, *Les « Képhalaia
Gnostica »*, p. 59-61.

dans le Pont, non loin d'Ibora, où Évagre était né[28].
Évagre lui-même a désigné comme ayant été son maître
Grégoire de Nazianze : dans le *Gnostique* même il fait état
de l'enseignement qu'il a reçu de lui. Sozomène est donc
bien informé quand il affirme qu'Évagre «fut instruit par
Grégoire de Nazianze dans la philosophie et les sciences
sacrées[29]». Il est probable que c'est à celui-ci aussi qu'il
dut sa formation rhétorique, car on sait que Grégoire
exerça, un certain temps, après son retour d'Athènes, les
activités de rhéteur. On peut penser qu'il fit profiter le
jeune Évagre de toute la culture qu'il avait acquise dans
les écoles où il fut successivement élève, à Césarée de
Cappadoce d'abord, célèbre alors par ses rhéteurs, à
Césarée de Palestine ensuite, à l'école fondée, au siècle
précédent, par Origène, à Athènes enfin. Le *Gnostique*
atteste qu'Évagre connaissait bien, non seulement l'œuvre
des grands théologiens chrétiens, auxquels il se réfère dans
son livre, à commencer par Grégoire de Nazianze lui-même
et Basile (ch. 44 et 45), puis Athanase, Sérapion de Thmuis
et son contemporain Didyme (ch. 46, 47 et 48) — auxquels
on peut ajouter Clément d'Alexandrie et Origène, dont
l'influence se perçoit dans de nombreux chapitres —, mais
aussi celle des philosophes néoplatoniciens, Plotin et
surtout Porphyre, dont il paraphrase, au ch. 41, le début
de l'*Isagogè*, qui était devenue un manuel de l'enseignement scolaire traditionnel[30] ; la forme même du «képha-
laion» qu'il adopte dans ce livre, comme dans certains

28. Chapitre 38, éd. Butler, p. 116-117 ; cf. A. GUILLAUMONT, *op.
cit.*, p. 48-50.
29. *Histoire ecclésiastique* VI, 30, *PG* 67, 1384 C (éd. Bidez et
Hansen, *GCS* 50, p. 285).
30. L'influence d'Aristote se manifeste à la fin du ch. 14, où est
démarquée une phrase du début de la *Métaphysique* (voir la note à ce
chapitre, ci-dessous, p. 111).

autres, est empruntée, elle aussi, à la tradition scolaire et
pratiquée par Porphyre lui-même[31].

L'influence de cette tradition scolaire, à la fois païenne
et chrétienne, se perçoit, non seulement dans la forme,
mais dans la matière même du livre. La place importante
faite à l'exégèse est alors un trait caractéristique de
l'enseignement : exégèse des œuvres des maîtres fondateurs des écoles dans la philosophie postclassique, exégèse
du texte biblique chez les théologiens chrétiens[32]. Que,
d'autre part, le maître doive adapter son enseignement à
ses auditeurs, ne pas enseigner indifféremment tout à tous,
mais réserver certaines matières ou explications à ceux qui
peuvent les comprendre, c'est là un principe de la
pédagogie traditionnelle, au moins depuis Platon[33]. Cela
devient un lieu commun dans la tradition néoplatonicien-
ne, où, à l'héritage platonicien, se mêle l'influence du
pythagorisme et des religions à mystères : les vérités les
plus hautes ne doivent être exposées que devant ceux qui
ont les dispositions requises, c'est-à-dire se sont suffisamment purifiés, pour les recevoir, et ceux-ci sont le petit

31. Cf. E. von Ivánka, «ΚΕΦΑΛΑΙΑ». Ein Byzantinische Litera-
turform und ihre antiken Wurzeln, *Byzantinische Zeitschrift*, 47
(1954), p. 285-291 ; A. Guillaumont, *op. cit.*, p. 33, et *SC* 170, p. 113-
114.

32. Voir les contributions de P. Hadot, «Théologie, exégèse,
révélation, écriture, dans la philosophie grecque», et I. Hadot, «Les
introductions aux commentaires exégétiques chez les auteurs néoplatoniciens et les auteurs chrétiens», dans M. Tardieu (éd.), *Les règles
de l'interprétation*, Paris 1987, p. 13-34 et p. 99-122.

33. Non seulement dans la tradition philosophique hellénique,
mais aussi dans la tradition religieuse juive, cf. Michna, *Hag.* II, 1
(certaines exégèses ne doivent pas être exposées devant trois
personnes, d'autres devant deux, certaines même devant une seule à
moins que ce ne soit un sage capable de les comprendre par lui-même).
La position de Philon sur ce point (par exemple, *De sacrificiis* 60-62,
avec un langage emprunté aux mystères, et 131 : choses à dire en
secret aux anciens, mais à taire aux jeunes gens) est au carrefour de
ces deux traditions.

nombre (οἱ ὀλίγοι) par rapport à la foule (οἱ πολλοί) ; d'où les
précautions que doit prendre le maître, voire le recours à
un certain ésotérisme. Cette attitude est celle de deux
théologiens dont l'œuvre était familière à Évagre, Clément
d'Alexandrie et Origène. Clément, invoquant d'abord
l'exemple de l'Écriture, puis l'enseignement de Platon, de
Pythagore et des philosophes venus après eux, affirme que
tout ne doit pas être livré sans réserve au premier venu[34] ;
à l'exemple du Pédagogue divin, le maître qu'est le
gnostique, usant de discernement, formulera de façon
voilée certaines vérités et il sera responsable de la chute de
ceux à qui il aura enseigné des vérités qu'ils ne pouvaient
comprendre[35]. De même Origène pense que certains
enseignements doivent être réservés aux «parfaits» et
tenus cachés à la foule, qui ne les comprendrait pas ; il en
est ainsi, par exemple, de la doctrine concernant l'entrée
des âmes dans les corps ou le châtiment des pécheurs dans
l'au-delà[36] ; il y a, en effet, danger, non pas seulement à
mentir, mais aussi à dire la vérité à ceux qui ne doivent
pas l'entendre : il ne faut pas «jeter les perles devant les
porcs» ni «donner aux chiens les choses saintes[37]» ; aussi

34. *Stromates* V, ix, 57 ,1 - 58, 6. Sur l'ésotérisme chez Clément,
voir C. Mondésert, *Clément d'Alexandrie. Introduction à l'étude de sa
pensée religieuse à partir de l'Écriture*, Paris 1944, p. 47-62 ; sur les
raisons de l'ésotérisme chez Clément, voir A. Méhat, *Étude sur les
Stromates de Clément d'Alexandrie*, Paris 1966, p. 492-499.

35. *Str.* V, viii, 54, 1-4.

36. *Contre Celse* V, 29 (éd. Borret, *SC* 147, p. 88-89) et VI, 26, *ibid.*,
p. 242-245, texte cité ci-dessous, en note au ch. 36.

37. Fragment sur *Ps* 118,11, d'après la chaîne palestinienne, éd.
M. Harl, *SC* 189, p. 206-207. La citation de *Matth.* 7,6 ainsi utilisée et
interprétée selon la maxime platonicienne et pythagoricienne qu'il
faut réserver ce qui est pur aux purs est fréquente chez Origène (cf.,
entre autres textes, *Contre Celse* V, 29, mentionné ci-dessus). Elle était
déjà chez Clément d'Alexandrie, *Str.* I, xii, 55, 3, éd. Mondésert et
Caster, *SC* 30, p. 89, et on la retrouve chez Didyme, *Sur Zacharie* IV,
7-11, éd. L. Doutreleau, *SC* 85, p. 804-809, et chez Évagre lui-même,
TP, prologue 59-60, *SC* 171, p. 492-495.

celui qui a eu accès aux mystères «devra avoir la sobriété de la bouche et savoir à qui, quand et comment il convient de parler des mystères divins[38]». On retrouve une attitude analogue chez les maîtres immédiats d'Évagre, Basile et surtout Grégoire de Nazianze. Dans son *Traité du Saint-Esprit*, Basile développe l'idée, héritée de Clément et d'Origène, qu'il y a, dans l'Église, à côté de l'enseignement écrit destiné à tous, un enseignement qui est transmis oralement et qu'il faut réserver au petit nombre des initiés, suivant l'exemple de Moïse qui n'ouvrait qu'aux plus purs l'accès du sanctuaire, laissant les profanes hors des enceintes sacrées[39]. Dans son Discours 28, Grégoire de Nazianze explique ce que doit être l'enseignement concernant les choses divines en paraphrasant le récit de la théophanie d'*Exode* 24 : Moïse seul est invité à pénétrer dans la nuée pour s'entretenir avec Dieu ; Aaron et les anciens qui l'accompagnent resteront en retrait, sur les flancs de la montagne, selon qu'ils sont plus ou moins purs ; quant à ceux qui sont impurs, ils resteront au pied de la montagne ou même s'en tiendront à distance ; il ajoute que les tables portant l'enseignement donné par Dieu à Moïse étaient écrites sur les deux côtés (cf. *Ex.* 32, 15) : un côté, la face visible, était pour la foule (τοῖς πολλοῖς), qui reste au pied de la montagne, l'autre, la face cachée, pour les peu nombreux (τοῖς ὀλίγοις) qui accèdent au sommet de la montagne[40].

La conséquence pratique de cette théorie est l'organisation d'un enseignement à deux degrés : l'un destiné aux

38. *Homélies sur les Nombres* XXVII, 12 (éd. Baehrens, *GCS* 30, p. 277 ; trad. A. Méhat, *SC* 29, p. 551-552).

39. Ch. 27, éd. B. Pruche, *SC* 17 bis, p. 478-485. Que l'enseignement qu'il faut tenir secret ne doit pas être mis par écrit est une idée chère à Clément (cf. *Str.* I, ɪ, 13, 2-5, *SC* 30, p. 52-53), héritée de Platon, *Lettre VII*, 344 C.

40. *Discours* 28 (= 2ᵉ discours théologique) § 2, éd. P. Gallay, *SC* 250, p. 102-105.

plus nombreux, qui n'ont pas réalisé une purification
suffisante, ou, en termes évagriens, sont loin encore de
l'impassibilité, et un autre, supérieur, réservé à ceux qui
sont suffisamment purs pour pouvoir le comprendre et le
recevoir. Au-dessus de l'enseignement propédeutique vient
un enseignement destiné à des disciples choisis, que le
maître estime suffisamment préparés et capables de le
suivre avec profit ; à ce niveau, les disciples ont un rôle
plus actif, car ils sont invités par le maître à poser des
questions, et les leçons prennent la forme d'une recherche
(ζήτησις) menée en commun : ainsi procédait Plotin,
suivant l'exemple de son maître Ammonius, au témoignage de Porphyre, qui note que cela n'allait pas sans quelque
désordre[41] ! Ainsi aussi faisaient Clément d'Alexandrie et
Origène[42]. Telle était, est-on en droit de penser, la méthode
adoptée par Évagre lui-même, à en juger par les conseils
qu'il donne, sur ce point, à son gnostique[43] : la méthode
consistait à inviter ceux qui étaient capables de devenir, à
leur tour, des gnostiques, mais ceux-là seulement, à la
recherche et à la discussion sur les δόγματα (ch. 35), c'est-à-
dire les points de doctrine laissés à la libre recherche, et sur
les textes de l'Écriture, qui, selon l'exégèse allégorique,
pouvaient être diversement interprétés.

---

41. Porphyre, *Vie de Plotin*, 3, éd. E. Bréhier, *Ennéades*, t. I,
Paris 1924, p. 4 ; voir le commentaire de ce passage par M.-
O. Goulet-Cazé dans L. Brisson, M.-O. Goulet-Cazé, R. Goulet
et D. O'Brien, *Porphyre. La Vie de Plotin*, I, Paris 1982, p. 250-251.

42. Pour Clément, voir A. Méhat, *op. cit.*, p. 490. Pour Origène et
la façon dont il répartit ses auditeurs, mettant à part ceux qu'il
estimait les plus capables, voir Eusèbe, *Histoire ecclésiastique* VI, 15,
texte commenté par P. Nautin, *Origène*, I, Paris 1977, p. 48-49, qui
montre qu'Eusèbe s'appuyait sur un texte autobiographique d'Origène lui-même.

43. Voir surtout ch. 26 et la note, ci-dessous, p. 132.

CHAPITRE III

LA COMPOSITION DU LIVRE

La composition du *Gnostique* paraît assez libre et l'on n'y trouve pas l'ordonnance et la progression que l'on a pu relever dans les chapitres du *Traité pratique*[1]. Une lecture un peu attentive permet cependant de discerner, dans la suite des cinquante chapitres qui le constituent, un certain groupement par sujets :

ch. 1-3 : chapitres d'introduction, dont le but est de dégager la fonction propre du gnostique, l'enseignement ;

ch. 4-11 : les conditions requises pour que le gnostique puisse remplir sa fonction de maître, les vertus qu'il doit acquérir ;

ch. 12-15 : nécessité pour le gnostique de s'adapter à ses auditeurs ;

ch. 16-21 : la matière de l'enseignement, principalement l'exégèse ;

ch. 21-36 : comportement que doit avoir le gnostique dans son enseignement ;

ch. 37-43 : mise en garde contre les tentations et péchés auxquels le gnostique est exposé ;

---

1. Cf. *SC* 170, p. 113-125. Sur quelques points cependant on peut relever une certaine analogie de structure entre les deux traités, voir ci-dessus, p. 22.

ch. 44-48 : citations de théologiens servant de témoignage en faveur d'idées maîtresses du livre ;

ch. 49-50 : chapitres de conclusion.

Les chapitres eux-mêmes sont indépendants les uns des autres, comme le veut le genre des κεφάλαια ; ils sont de longueur très variable, de deux à douze lignes, et ils présentent, quant à leur forme ou à la nature de leur contenu, une grande diversité[2] :

Outre les témoignages, ch. 44-48 (5 au total), on y trouve :

des définitions, ch. 2, 3, 30, 42, 43, 49 (6 au total),

des sentences didactiques, ch. 1, 4, 5, 8, 9, 33, 39, 41 (8 au total),

surtout des prescriptions, formulées :

— soit de façon impersonnelle (par ex. «Il faut que...», «Il convient de...», «Il est honteux de...») ou à la 3ᵉ personne du singulier (par ex. «Le gnostique s'exercera...») : ch. 6, 7, 10, 12, 13, 17, 18, 19, 20, 22, 23, 25, 26, 36, soit 14 au total,

— soit à la 2ᵉ personne du singulier (par ex. «Garde-toi de...», «Souviens-toi de...», «Ne te soucie pas de...») : ch. 11, 14, 15, 16, 21, 24, 27, 28, 29, 31, 32, 34, 35, 37, 38, 40, 50, soit 17 au total.

---

2. Sur le genre des κεφάλαια ou «chapitres», voir ci-dessus, p. 36-37, et les références données *ibid.*, n. 31.

DEUXIÈME PARTIE

LE TEXTE

CHAPITRE PREMIER

LES FRAGMENTS GRECS

a. La tradition directe

Bien qu'il ne formule aucune des opinions éva-griennes incriminées, le *Gnostique*, dans son intégralité, a disparu de la tradition grecque directe[1]. On ne le trouve pas dans les manuscrits qui contiennent un corpus, plus ou moins complet, des écrits évagriens conservés en grec. La tradition directe n'a retenu qu'un choix de chapitres, et cela sous le nom de saint Nil et dans des manuscrits de date tardive[2] :

J   Codex *Athous Vatopedinus 57* (sigle J), manuscrit de papier que l'écriture invite à dater de la fin du XIIIᵉ ou du

---

1. Sa disparition a pu être entraînée par celle, davantage motivée, des *Képhalaia gnostica*, cf. *SC* 170, p. 29-32.
2. Une description détaillée de ces manuscrits est donnée dans *SC* 170, p. 218-241. Les extraits du *Gnostique*, ainsi que des extraits des *Lettres* d'Évagre, sont édités par Claire GUILLAUMONT, «Fragments grecs inédits d'Évagre le Pontique», dans J. DUMMER (éd.), *Texte und Textkritik, TU* 133, Berlin 1987, p. 209-221.

début du xivᵉ siècle. Les extraits du *Gnostique* occupent les
folios 148ᵛ (8ᵉ lig., *inc.* Ἡ μὲν ἔξωθεν ...) à 149ᵛ (3ᵉ lig., *des.*
Τὴν ἐκπεσοῦσαν). Ils font suite, sans interruption ni titre
particulier, à un choix de 37 chapitres du *Traité pratique*;
ceux-ci sont numérotés de 1 à 40 et, sous les numéros 41 à
58, on a 19 chapitres du *Gnostique*, ch. 4, 5, 8, 13, 15, 22,
24, 29, 30, 31, 32, 33, 37, 38, 42, 44, 45, 47 et 50[3].
L'ensemble de ces extraits du *TP* et du *Gnostique* sont
introduits par le titre τοῦ αὐτοῦ ὁσίου Νείλου ἕτερα κεφάλαια.
A la suite vient, sous le titre τοῦ αὐτοῦ ἕτερα κεφάλαια
ὠφέλιμα, un choix de lettres de saint Nil.

Codex *Oxoniensis Bodleianus Canonicianus graecus*
L *16* (sigle L), manuscrit de papier, de la fin du xiiiᵉ ou du
début du xivᵉ siècle. Les extraits du *Gnostique* y occupent
les folios 177ᵛ (5ᵉ lig. *inc.* Ἡ μὲν ἔξωθεν ...) à 179ᵛ (16ᵉ lig.,
des. τὴν ἐκπεσοῦσαν). Ce sont les mêmes chapitres que dans
le manuscrit précédent, au nombre de 19. Ils font suite, ici
encore, sous le titre commun τοῦ αὐτοῦ (= Νείλου) κεφάλαια
ἕτερα, au choix de 37 chapitres du *TP* et reçoivent les
numéros 38 à 51[4]. Un bandeau sépare l'œuvre de la
suivante, la première centurie de Thalassius.

K Codex *Vindobonensis theologicus graecus 274* (sigle K),
manuscrit de papier italien de la première moitié du
xivᵉ siècle. Les mêmes fragments du *Gnostique* que dans les
deux manuscrits précédents y font suite, ici encore, à un
choix de 37 chapitres du *TP*, sous le titre commun τοῦ
αὐτοῦ (= Νείλου) κεφάλαια ἕτερα. Ils occupent les folios 159ʳ
(5ᵉ lig., *inc.* Ἡ μὲν ἔξωθεν ...) à 161ʳ (13ᵉ lig., *des.* τὴν
ἐκπεσοῦσαν). Clairement distingués les uns des autres par
des alinéas et des majuscules en saillie, les chapitres ne
sont pas numérotés. Dans la marge supérieure du folio 160ᵛ
une main légèrement postérieure à celle du copiste a écrit

3. Sous le numéro 45 sont groupés les chapitres 15 et 22.
4. La numérotation, mise en marge, est capricieuse et lacunaire.

Εὐαγρίου μοναχοῦ, mention qui est apparue déjà plusieurs
fois dans ce manuscrit en marge de chacune des œuvres
d'Évagre successivement attribuées à Nil. L'auteur de
cette note, connaissant vraisemblablement par ailleurs
l'œuvre d'Évagre, rend à celui-ci son bien. Plus intéressan-
te encore est la copie qu'il donne, dans la marge extérieure
du fol. 160ʳ, d'un chapitre supplémentaire, le chapitre 36
du *Gnostique* : chose remarquable, il le fait précéder du
chiffre 36, chiffre qui ne peut provenir, directement ou
indirectement, que d'un texte complet du *Gnostique*[5]. Un
titre rubriqué sépare ces fragments d'un extrait de Jean
Chrysostome.

M   Codex *Oxoniensis Bodleianus Baroccianus 81* (sigle M),
manuscrit de papier du xvᵉ siècle. Les extraits du *Gnostique* y occupent les folios 166ʳ (10ᵉ lig., *inc.* Ἡ μὲν ἔξωθεν ...)
à 168ʳ (15ᵉ lig., *des.* θεωροῦσιν). Comme dans les manuscrits
précédents ils font suite au choix de 37 chapitres du *TP*,
numérotés, cette fois-ci, de 1 à 39 ; mais ici on n'a que 17
chapitres du *Gnostique*, sous les numéros 40 à 55, les
chapitres 47 et 50 faisant défaut. Les chapitres du *TP* et
du *Gnostique*, précédés du titre τοῦ αὐτοῦ κεφάλαια ἕτερα,
sont ici directement mis sous le nom d'Évagre : ils font
partie d'un ensemble qui est introduit par le titre Εὐαγρίου
μοναχοῦ (fol. 137ʳ). Le copiste, qui avait pour modèle le
Vindobonensis, a tenu compte des notes marginales de ce
manuscrit[6]. A la suite des extraits du *Gnostique* vient un
court fragment de Barsanuphe que le copiste a trouvé
également dans les annotations marginales du *Vindobonensis*.

---

5. Ce fait ne saurait prouver qu'un texte complet du *Gnostique*
existait encore au xivᵉ siècle : si l'auteur de cette note avait eu à sa
disposition un texte complet, il est peu vraisemblable qu'il eût cité
seulement ce chapitre ; cette citation provient, selon toute probabili-
té, d'un modèle antérieur.

6. Cependant il fait parfois preuve d'initiative : soupçonnant à bon
droit une lacune dans le ch. 4, il a cherché à la combler dans une
annotation marginale (voir les notes à ce chapitre, ci-dessous, p. 92).

Ces quatre manuscrits appartiennent, de toute évidence, à une même famille ; la présentation de l'œuvre y est la même : les extraits du *Gnostique* y suivent un choix analogue de chapitres du *TP*, auxquels ils font suite avec une numérotation continue sans qu'aucun titre signale le changement de traité ; le choix des 19 chapitres du *Gnostique* est partout le même[7] ; l'ensemble *TP* et *Gnostique* est mis sous le nom de Nil, attribution corrigée tardivement par le copiste de M, suivant les annotations d'un lecteur de K. L'examen des variantes du texte que donnent ces manuscrits pour le *TP* nous a permis, lors de l'édition de ce traité, de classer ces manuscrits et d'aboutir aux conclusions suivantes : les manuscrits J et L dépendent d'un ancêtre commun que nous appelons λ ; K a été copié sur L, et M sur K[8]. Cette filiation peut être figurée par le stemma suivant :

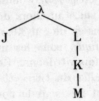

A cette même famille appartient un autre manuscrit : le codex *Athous Pantocrator 101*, manuscrit de papier du milieu du XIVᵉ siècle[9]. Au folio 121ʳ on lit le titre τοῦ ὁσίου πατρὸς ἡμῶν Νείλου κεφάλαια διάφορα πρακτικὰ καὶ γνωστικά. On trouve ensuite un choix de chapitres du *TP* identique à celui que donnent les manuscrits précédents ; le texte est malheureusement interrompu par une lacune de quelques pages après le folio 123ᵛ ; cette lacune nous prive, non seulement des derniers extraits du *TP*, mais aussi des

---

7. Si ce n'est que le ms. M omet les deux derniers.
8. Voir *SC* 170, p. 374-378.
9. Description *ibid.*, p. 248-251.

chapitres du *Gnostique* qui devaient les suivre et que ce manuscrit, à la différence des précédents, annonçait de façon explicite : «Chapitres pratiques et gnostiques».

Le texte grec de cinq autres chapitres du *Gnostique* a été conservé, d'autre part, sous le nom de saint Maxime le Confesseur dans le codex *Mosquensis Bibl. Syn. 439* Mosq. (sigle Mosq.), manuscrit de papier du xvie siècle[10]. Après la dernière des cinq centuries apocryphes des « Divers chapitres théologiques et économiques» (*PG* 90, 1177-1392) et sous le titre ἕτερα κεφάλαια κε΄ τοῦ αὐτοῦ ἁγίου πατρὸς Μαξίμου, on trouve, du folio 216ᵛ au folio 219ʳ, une composition artificielle faite d'extraits du *Gnostique* et des *Kephalaia gnostica* d'Évagre, *inc.* πρακτικὸς μέν ἐστιν, *des.* τοῖς πράγμασιν ὁρᾷ ; suit un autre titre annonçant une lettre de Maxime à Jean le Cubiculaire (= lettre IV, *PG* 91, 413 et s.). Ce texte est composé de 25 chapitres, dont le premier est formé des trois premiers chapitres du *Gnostique*, regroupés selon un ordre propre à cette compilation (2, 3, 1)[11] ; le deuxième est le chapitre V, 90 des *KG*, suivi du chapitre 6 du *Gnostique* ; sous le numéro 3 vient le chapitre 21 du même livre ; à partir du numéro 4 tous les chapitres sont tirés des *KG*[12]. L'auteur de cette composition, dont la date est inconnue, disposait donc d'un texte du *Gnostique* qui précédait celui des *KG*.

10. Nº 425 du Catalogue de Vladimir (Moscou 1894), p. 640-642 ; ce manuscrit est actuellement au Musée historique.

11. Voir note au chapitre 1, ci-dessous, p. 88.

12. Ces extraits ont été édités, d'après une publication antérieure de S. L. Epifanović (Kiev 1917), par I. Hausherr, «Nouveaux fragments grecs d'Évagre le Pontique», *OCP*, V (1939), p. 229-233, qui les a identifiés et regroupés selon l'ordre qu'ils ont dans les deux ouvrages d'Évagre, d'abord ceux des *KG*, puis ceux du *Gnostique* ; les trois derniers textes, non identifiés par Hausherr, sont les ch. V, 42, VI, 51 et VI, 25 des *KG* ; le chapitre portant le nº 12, qui est le texte de *KG* I, 40, a été omis.

b. La tradition indirecte

Certains chapitres du *Gnostique* sont conservés en grec, parfois fragmentairement, grâce à des citations faites par divers auteurs, y compris des auteurs anonymes de florilèges :

Dans son *Histoire ecclésiastique* (milieu du Ve s.) Socrate cite plusieurs chapitres de ce livre, en deux passages. D'abord en III, 7 sont cités le chapitre 27, introduit au style indirect («Évagre, dans son ouvrage sur les moines déconseille de...»), puis le chapitre 41, cité à la suite et littéralement («Le même enseigne aussi cela à la lettre, κατὰ λέξιν»), après quoi il conclut : «Voilà donc ce que dit Évagre, dont nous parlerons plus tard[13]». C'est au chapitre IV, 23, consacré aux moines d'Égypte, que Socrate parle plus longuement d'Évagre et cite littéralement (κατὰ λέξιν) huit chapitres du *TP*, suivis de cinq chapitres du *Gnostique*, ch. 44, 45, 46, 47 et 48. Ces citations sont suivies de la formule de conclusion : «Voilà tout ce que nous citons ici d'Évagre[14]». De fait, on ne trouve aucune autre citation d'Évagre chez Socrate[15].

13. *PG* 67, 396 B. Ce chapitre est consacré aux controverses trinitaires au temps d'Eusèbe et d'Athanase. Pour la traduction de ἐν τῷ μοναχικῷ, voir ci-dessus, p. 19, n. 10.

14. *Ibid.*, 516 A - 520 D (plus spécialement 520 AD, pour les citations du *Gnostique*); passage étudié ci-dessus, p. 19, à propos du titre du *Gnostique*. Le texte du ch. 44 est reproduit dans *PG* 40, 1285 B.

15. Le texte de Socrate est repris dans l'*Histoire ecclésiastique* XI, 43 (*PG* 146, 724 AD) de Nicéphore Calliste (XIVe s.), avec de menues variantes par rapport au texte édité de Socrate, Nicéphore suivant un texte particulier représenté par le codex *Laurentianus gr. 70, 7*, comme l'a montré F. WINKELMANN, *Die Kirchengeschichte des Nicephoros Xanthopoulos und ihre Quellen*, Berlin 1966, p. 184 ; cf. note au ch. 41, ci-dessous, p. 167. Nous remercions le Père P. Périchon, qui a bien voulu nous communiquer les variantes du texte de Socrate ainsi que celles de la version arménienne de cet auteur.

Dans son *Commentaire sur l'Apocalypse* le rhéteur
Œcumenius (début du vi^e s.), à propos d'*Apoc.* 10, 4 («J'ai
entendu une voix venant du ciel et disant : mets un sceau
sur ce qu'ont dit les sept tonnerres et ne l'écris pas»), cite
le chapitre 36 du *Gnostique*, où Évagre recommande à
l'enseignant de faire silence sur certaines vérités qui
pourraient n'être pas comprises des auditeurs[16].

Dans son ouvrage intitulé *Défense des saints hésychastes*
I, 3, 7, Grégoire Palamas (xive s.) cite, sous le nom de saint
Nil, le chapitre 45 du *Gnostique*[17].

Florilèges. Dans le florilège ascétique contenu dans le
r   codex *Parisinus graecus 2748* (sigle r), du xive siècle, se
trouvent, fol. 162^r-165^r, sous le nom d'Évagre, 69 extraits
de différentes œuvres de cet auteur[18]. Outre 23 chapitres
du *TP* sont cités deux chapitres du *Gnostique*, ch. 8, sous le
numéro 28, et ch. 47, sous le numéro 3[19].

Deux manuscrits du xive siècle, le *Parisinus graecus 39*
et le *Parisinus graecus 1220*, donnent, sous le nom de Nil,
un traité ascétique intitulé «Sur les huit pensées de

16. Éd. H. C. Hoskier, *The Complete Commentary of Œcumenius
on the Apocalyps*, Ann Arbor 1928, p. 122, 23-25. Le texte avait été
édité auparavant par J. A. Cramer, *Catenae Graecorum Patrum in
Novum Testamentum*, t. VIII, Oxford 1844, p. 330. Cette citation a
été signalé par E. Peterson, *BNJ*, 4 (1923), p. 8, et *ThLZ*, LV (1930),
p. 256, puis par I. Hausherr, *Les versions*, p. 101-102.

17. Texte édité par Jean Meyendorff, *Grégoire Palamas. Défense
des saints hésychastes*, t. I, Louvain 1959, p. 123, 5-12 (identification
et légère correction du texte par A. Guillaumont, *RHR*, 164 [1963],
p. 115).

18. La partie évagrienne de ce florilège a été éditée par
J. Muyldermans, *La Tradition manuscrite*, p. 79-94. Pour la description de ce manuscrit et l'identification des textes de cette partie, voir
aussi *SC* 170, p. 283-286 ; un dernier texte est identifié comme étant
un extrait du Cassien grec par A. de Vogüé, *Studia Monastica*, 27
(1985), p. 7-12.

19. Ce dernier texte nous paraît, en effet, plus proche du chapitre
du *Gnostique* que de *KG* III, 35, auquel renvoie Muyldermans.

malice», édité en 1686 par Cotelier et reproduit, en appendice aux œuvres de Nil, dans *PG* 79, 1435-1472. Ce traité pseudo-nilien est une compilation de textes de divers auteurs, principalement, en raison du sujet, d'Évagre. Deux chapitres du *Gnostique* y sont cités, ch. 30 (partiellement) et ch. 31[20].

Une partie du chapitre 47 du *Gnostique* est recueillie dans les *Loci communes* du Pseudo-Maxime, florilège composé à la fin du ixe ou au début du xe siècle, selon Marcel Richard[21]. Ce texte, mis sous le lemme Εὐαγρίου, se lit dans *PG* 91, 757 C[22].

Un très court fragment du chapitre 28 du *Gnostique* se trouve, d'une façon assez inattendue, dans le codex *Ambrosianus C 178 inf. (gr. 873)*, daté de 1324, fol. 280v-281r, au milieu d'extraits des Cappadociens, introduit par le lemme Εὐαγρίου et suivi d'un texte non identifié[23].

D'après le catalogue des manuscrits grecs de Jérusalem publié par Papadopoulos-Kérameus (Saint-Pétersbourg, 1891-1915), tome II, p. 408, n° 10, le ms. 283 de Saint-Sabas, fol. 189, contient sous le nom «d'Évagre, moine et philosophe» un extrait dont l'*incipit* Πᾶσα πρότασις ἢ γένος correspond au début du ch. 41 du *Gnostique*. Nous n'avons malheureusement pas pu obtenir communication de ce texte, un extrait probablement assez court, car un fragment de Grégoire de Nazianze lui fait suite au verso de ce même folio.

---

20. Col. 1452 C et 1441 A. Identification faite par E. Peterson, *BNJ*, 9 (1930/31), p. 52-53 (corriger «Briefe 32», dû à une inadvertance, en «Gnostikos 135» = 31). Sur ce traité pseudo-nilien, voir aussi *SC* 170, p. 312-313.

21. Article «Florilèges grecs», *DS* 5 (Paris 1962), col. 489 et 491; cf. *SC* 170, p. 315.

22. Signalé par M. Viller, *RAM*, XI (1930), p. 174, n. 76. Cet extrait se retrouve dans les *Sacra Parallela* pseudo-damascéniens, *PG* 95, 1204 A (cf. P. Géhin, article cité ci-dessus, p. 19, n. 10).

23. Nous devons la communication de ce texte et de son contexte au Père J. Paramelle, ce dont nous le remercions.

Évagre se citant volontiers lui-même, de façon tacite, son œuvre renferme d'assez nombreux doublets; un exemple en est donné par le ch. 9 du *Gnostique* dont un texte parallèle se lit dans l'*Exhortation aux moines*, petit traité édité sous le nom de Nil dans *PG* 79, 1235-1240, mais que la tradition manuscrite autorise à attribuer à Évagre (col. 1237 A, lig. 12-14)[24].

24. Les chapitres supplémentaires de ce traité, édités par J. MUYLDERMANS, *Le Muséon*, 51 (1938), p. 200-203, ont un passage (n° 23) qui présente un vocabulaire commun avec celui du ch. 10, cf. ci-dessous, p. 103.

CHAPITRE II

LES VERSIONS ANCIENNES

Avant sa disparition, survenue probablement à la suite de la condamnation d'Évagre en 553, le texte complet du *Gnostique* fut, fort opportunément, traduit en différentes versions, grâce auxquelles il nous est possible de le connaître[1].

Le livre fut traduit, à la fin du Ve siècle, par l'écrivain marseillais Gennade, qui affirme avoir été le premier à le traduire en latin[2]. Malheureusement cette version semble, selon l'état actuel de la recherche, avoir elle-même disparu.

En revanche ont survécu trois versions syriaques et une version arménienne.

1. Les versions syriaques

a - La version S₁

Il existe une version qui est conservée par le plus grand nombre des manuscrits et qui est celle que citent

1. Sur la condamnation d'Évagre (au Ve concile œcuménique), voir les références données ci-dessus, p. 43, n. 1.
2. *De viris inlustribus* XI, éd. Richardson, *TU* 14, Leipzig 1896, p. 65 (= *PL* 58, 1067) : «Composuit (Evagrius)... eruditis ac studiosis viris (librum) *quinquaginta sententiarum*, quem ego Latinum primus feci».

habituellement les auteurs syriaques : pour cette raison on peut l'appeler «commune» (sigle S_1). Dans ces manuscrits le *Gnostique* vient immédiatement après le *Traité pratique*, dont il continue la numérotation. Ces deux livres sont mis sous le titre commun : «Enseignement de saint mar Évagre, moine, aux frères moines qui sont dans le désert» (certains ajoutent «d'Égypte»). Cette version se trouve, d'une part, dans huit manuscrits de la British Library de Londres[3]. Ce sont, par ordre d'ancienneté, les suivants :

— *Add. 12175* (fol. 81-254), manuscrit de parchemin, écrit, sur deux colonnes, en *estranghelo* du VIe siècle, et daté, semble-t-il, de 534 de notre ère[4]. Le *Gnostique* se lit aux fol. 99r-101r ; les chapitres ne sont pas numérotés et font suite directement à ceux du *TP*, dont le texte est donné seulement à partir du ch. 54, introduit par le titre «Sur les choses qui arrivent en songe[5]» ; ce titre paraît couvrir l'ensemble formé par ces chapitres du *TP* et le *Gnostique*, celui-ci étant suivi de l'*explicit* : «Fin de ce qui concerne les choses qui arrivent en songe, de mar Évagre». Suit le texte de la *Lettre à Anatolios*.

— *Add. 14581*, manuscrit de parchemin, écrit, à pleine page, en *estranghelo* du VIe siècle[6]. Le *Gnostique*, faisant

---

3. Ces manuscrits sont signalés par J. MUYLDERMANS, *Evagriana Syriaca*, p. 69, n. 138 (mais pour l'*Add. 17167*, voir ci-dessous, p. 58-60). La description qui en est ici donnée est faite d'après des photographies fournies par l'Institut de Recherche et d'Histoire des Textes (Paris).

4. Manuscrit décrit sous le n° DCCXXVII dans W. WRIGHT, *Catalogue of the Syriac Manuscripts in the British Museum*, Londres 1871, p. 633-638 ; le codex mis sous cette cote est en réalité formé de trois manuscrits. Voir aussi *PO* 28, p. 7 et *SC* 170, p. 321. La date donnée par le colophon (fol. 254v) est en partie effacée ; il faut lire très probablement, à la suite de Wright, 845 des Grecs.

5. Ce titre est en réalité un sous-titre, introduisant une section (ch. 54-56) du *TP*, cf. *SC* 171, p. 624-625.

6. Décrit, sous le n° DCCXXXIV, dans WRIGHT, *op. cit.*, p. 655-657 ; voir aussi *SC* 170, p. 321.

suite au *TP*, est aux fol. 23ʳ-27ᵛ. Les chapitres sont numérotés à l'aide des anciens chiffres au lieu de l'emploi habituel des lettres avec valeur numérique ; ils le sont de 2 à 50. Après l'*explicit* « Est fini le premier traité d'exhortation de saint mar Évagre aux moines qui sont dans le désert d'Égypte », vient une vie d'Évagre qui reprend, en substance, le chapitre 38 de l'*Histoire lausiaque* de Pallade.

— *Add. 14578*, manuscrit de parchemin, écrit, sur deux colonnes, en *estranghelo* du VIᵉ ou VIIᵉ siècle[7]. Il est entièrement consacré aux œuvres d'Évagre. Le texte du *Gnostique*, qui est aux fol. 11ᵛ-16ᵛ, est celui qui a été édité par Frankenberg[8]. La numérotation fait suite à celle du *TP* et va de 104 à 151, certains chapitres étant groupés. Le chapitre 54 du *TP* est précédé du titre « Livre du Gnostique » (fol. 7ᵛ), qui paraît couvrir les ch. 54 et suivants du *TP* et le *Gnostique*[9]. Suit le texte du *Traité à Euloge*.

— *Add. 14582*, manuscrit de parchemin, daté de 1127 des Grecs, soit 816 de notre ère[10]. Le *Gnostique* occupe les fol. 141ᵛ-146ᵛ. Son texte fait immédiatement suite au ch. 91 (numéroté 90) du *TP* et la numérotation cesse avec le texte du *Gnostique*, dont les chapitres sont séparés seulement par une ponctuation. Manquent les ch. 19-21, 35-44 et 46-54. Comme dans l'*Add. 14578*, le titre « Livre du Gnostique » précède le ch. 54 du *TP*[11]. A la suite du *Gnostique* vient le traité *Des huit esprits de malice*.

---

7. Décrit, sous le nᵒ DLXVII, dans WRIGHT, *op. cit.*, p. 445-449 ; voir aussi *PO* 28, p. 7, et *SC* 170, p. 321-322.

8. *Euagrius Ponticus*, Berlin 1912, p. 546-552 ; voir ci-dessous, p. 83.

9. Le fait est relevé par MUYLDERMANS, *Evagriana Syriaca*, p. 70 ; cf. ci-dessus, p. 20. Comparer l'insertion du titre « Sur les choses qui arrivent en songe » au même endroit dans l'*Add. 12175*, ci-dessus, p. 53.

10. Décrit, sous le nᵒ DCCLII, dans WRIGHT, *op. cit.*, p. 692-696 ; voir aussi *SC* 170, p. 323.

11. Cf. ci-dessus, même page.

— *Add. 12167*, manuscrit de parchemin, daté de 1187 des Grecs, soit 876 de notre ère[12]. Le *Gnostique* est aux fol. 94^v-98^v, le texte étant, en plusieurs pages, partiellement illisible. La numérotation fait suite à celle du *TP*, le premier chapitre portant le numéro 102. Comme dans les deux manuscrits précédents, le titre «Livre du Gnostique» se lit avant le ch. 54 du *TP*[13]. Le *Gnostique* est suivi du traité *Des huit esprits de malice*.

— *Add. 18817*, manuscrit de parchemin, avec écriture *serto* du IXe siècle[14]. Le *Gnostique* est aux fol. 49^r-53^r, faisant suite au *TP*, sans numérotation ni séparation des chapitres. Il est suivi du petit traité intitulé *Sur les signes de l'hésychia*[15].

— *Add. 14579*, manuscrit de parchemin, écrit, sur deux colonnes, en *estranghelo* et daté de 1224 des Grecs, soit 913 de notre ère[16]. Le *Gnostique* est aux fol. 27^v-31^v, à la suite du *TP*. Le premier chapitre est numéroté 101, mais pour les suivants la numérotation reprend à 2 et se continue, de façon très irrégulière, jusqu'à 49. Suit le texte des sentences métriques *A une vierge*.

— *Or. 2312*, manuscrit de papier avec écriture du XVe-XVIe siècle[17]. Le *Gnostique* est aux fol. 61^v-65^r. La numéro-

---

12. Décrit, sous le n° DCCLXXXV, dans WRIGHT, *op. cit.*, p. 769-774 ; voir aussi *SC* 170, p. 323-324.

13. Cf. ci-dessus, p. 54. Ce titre se retrouve aussi dans une partie refaite de l'*Add. 17165*, cf. *SC* 170, p. 324.

14. Décrit, sous le n° DCCCI, dans WRIGHT, *op. cit.*, p. 803-806 ; voir aussi *SC* 170, p. 323.

15. Édité par MUYLDERMANS, *Evagriana Syriaca*, p. 120-122.

16. Décrit, sous le n° DCCCVIII, dans WRIGHT, *op. cit.*, p. 815-818 ; voir aussi *SC* 170, p. 324.

17. Décrit dans G. MARGOLIOUTH, *Descriptive List of Syriac and Karshuni Mss in the British Museum acquired since 1873*, Londres 1899, p. 8 ; voir aussi *PO* 28, p. 9, et *SC* 170, p. 325 ; description et analyse plus poussées dans MUYLDERMANS, *Evagriana Syriaca*, p. 9-13.

tation fait suite à celle du *TP*, le premier chapitre étant numéroté 102, et elle se poursuit jusqu'à 151. Suit le texte du traité *Des huit esprits de malice*.

A ces manuscrits s'ajoute un manuscrit de la collection Mingana, conservé actuellement à la bibliothèque des Selly Oak Colleges, près de Birmingham :

— *Mingana Syr. 68*, manuscrit moderne de papier, copié en 1902, à Mossoul selon le colophon, sur «un ancien manuscrit» de Deir Za'faran[18]. Le *Gnostique* est aux fol. 11ᵛ-14ᵛ et fait suite, ici aussi, au *TP*, dont il continue la numérotation jusqu'au ch. 3 numéroté 100, après quoi les chapitres se suivent sans numérotation, séparés seulement par une ponctuation. Le ch. 21 est omis. A la suite vient le traité *Des huit esprits de malice*.

Cette version S_1 figure dans deux autres manuscrits, mais de façon incomplète :

— Berlin, *Deutsche Staatsbibliothek, Syr. 27*, manuscrit de parchemin portant une écriture *estranghelo* du VIIᵉ ou VIIIᵉ siècle[19]. Le texte du *Gnostique* y fait suite à celui du *TP*, dont il continue la numérotation. Il occupe les fol. 28ᵛ-29ᵛ ; par suite de la perte d'un cahier après le fol. 29, le texte s'interrompt après les premiers mots du ch. 24, numéroté 126. A la suite du *Gnostique* vient le *Traité à Euloge*, dont manque aussi le début.

— Rome, *Vat. Syr. 126*, manuscrit de papier, daté de 1534 des Grecs, soit 1223 de notre ère[20]. Parmi des extraits

18. Décrit dans A. MINGANA, *Catalogue of the Mingana Collection of Manuscripts*, vol. I : *Syriac and Garshuni Manuscripts*, Cambridge 1933, col. 170-173. Décrit ici d'après une photocopie fournie par le regretté J.-M. Hornus.

19. N° 302 du catalogue de E. SACHAU, *Die Handschriften-Verzeichnisse der königlichen Bibliothek zu Berlin*, 23. Band : *Verzeichniss der Syrischen Handschriften*, Berlin 1899, I, p. 102-112. Voir aussi *SC* 170, p. 322-323. Nous avons utilisé une photographie fournie par l'I.R.H.T.

20. Décrit dans S. E. et J. S. ASSEMANI, *Bibliothecae Apostolicae*

de différentes œuvres d'Évagre se trouve, aux fol. 224^r-227^v, un choix de chapitres du *TP* et du *Gnostique* ; ce sont, pour ce dernier, les douze chapitres suivants (sans numérotation) : 24, 30-33, 37-38, 44-48. A la suite viennent des extraits du *Traité à Euloge*.

On peut ajouter trois manuscrits de Londres qui donnent de très courts extraits : *Add. 17178* (XIe-XIIe s.) qui donne les ch. 39 (fol. 46^v), 10 et 30 (fol. 47^r), 22 (fol. 47^v) ; *Add. 17217* (IXe-Xe s.) qui donne les ch. 38 et 39 (fol. 46^r) ; *Add. 14611* (Xe s.) qui donne le ch. 4 (fol. 67^r)[21].

Les rapports existant entre les manuscrits donnant le texte complet de la version S_1 peuvent être représentés par le stemma suivant :

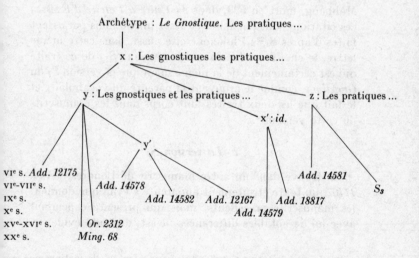

Vaticanae Codicum Manuscriptorum Catalogus, III, Rome 1759, p. 156-178. Ce manuscrit est aussi décrit et analysé dans MUYLDER-MANS, *Evagriana Syriaca*, p. 15-17 et p. 96-98. Voir aussi *SC* 170, p. 324-325.

21. Ce sont, dans WRIGHT, *op. cit.*, respectivement les numéros DCCCXXVIII (p. 855-857), DLXXI (p. 450) et DCCCXIII (p. 824-827). Ils sont signalés dans MUYLDERMANS, *op. cit.*, p. 71.

Ce stemma rend compte à la fois de l'altération progressive du titre (cf. ci-dessus, p. 20-21 et ci-dessous, p. 88-89) et des variantes relevées dans la collation des manuscrits, compte tenu, non seulement des variantes textuelles, mais aussi de la numérotation et de la division des chapitres et du contexte dans lequel le texte du *Gnostique* est inséré[22].

Cette version S_1 est, au plus tard, du premier tiers du VIe siècle, puisqu'elle est donnée par des manuscrits de cette époque, dont l'un l'*Add. 12175*, est daté de 534. Elle est même antérieure à cette date, car deux chapitres du *Gnostique*, les ch. 25 et 36, sont cités par Philoxène de Mabboug, mort en 523, dans sa *Lettre à Patrice d'Édesse*; ces citations sont partielles et assez libres, mais paraissent faites d'après S_1[23]; Philoxène cite aussi, dans cette même lettre, le ch. 79 du *TP* dans une version *(S_1)* de ce traité qui est certainement de la même main que la version S_1 du *Gnostique*, comme le prouvent la parenté du vocabulaire et le fait que les deux traités font corps dans les manuscrits de cette version[24].

b - La version S_3

On trouve dans un autre manuscrit de Londres, l'*Add. 17167*, un texte étroitement apparenté à celui que donnent les manuscrits précédents, mais qui présente cependant avec lui de notables différences : c'est, de toute évidence,

---

22. La numérotation des chapitres varie selon qu'elle continue ou non celle du *TP*, mais aussi selon la division des chapitres, elle-même variable (voir ci-dessous, p. 82).

23. Cf. éd. Lavenant, *PO* 30 (Paris 1963), p. 854-859. Selon A. de Halleux, *Philoxène de Mabbog, sa vie, ses écrits, sa théologie*, Louvain 1963, p. 259, cette lettre est à situer vers les années 485-500 ou, au plus tard, 500-505. Dans ces conditions S_1 remonterait au Ve siècle.

24. Cf. *SC* 170, p. 326-327.

l'œuvre d'un nouveau traducteur qui a révisé la version S_1 pour la rendre plus fidèle au texte grec[25]. Cette révision peut être considérée comme une nouvelle version (sigle S_3). Ce travail de révision est comparable à celui qu'a fait l'auteur de la version S_2 des *KG*, contenue précisément dans ce même manuscrit, et il est très probable que l'on a affaire au même traducteur[26]. Le manuscrit, en parchemin, porte, à la dernière page (fol. 145^v) la date «750 d'Alexandre», soit 449 de notre ère; mais, comme le remarque Wright, cette date est «évidemment erronée» et il faut probablement lire 960 des Grecs, c'est-à-dire 649 de notre ère[27]; l'écriture est l'*estranghelo* habituel des manuscrits du VIe-VIIe siècle. Le *Gnostique* se trouve aux fol. 8^v-13^r, à la suite, non plus, comme dans les manuscrits précédents, du *TP*, mais d'un petit texte intitulé «Explication des paraboles et proverbes de Salomon[28]». Aucun titre ne l'annonce; les chapitres sont régulièrement numérotés de 1 à 50. Le texte est suivi immédiatement d'un fragment du traité *Des Pensées*. Ce manuscrit est, à notre connaissance, le seul témoin de cette version; celle-ci résultant d'une révision de S_1, il peut trouver sa place parmi les

25. La démonstration en est donnée dans A. GUILLAUMONT, «Une nouvelle version syriaque du *Gnostique* d'Évagre le Pontique», *Le Muséon* 100 (volume jubilaire), 1987, p. 161-169. La dépendance de S_3 par rapport à S_1 est évidente d'après les nombreuses identités littérales que l'on constate entre ces deux versions; sur la nature des corrections faites par l'auteur de S_3, voir ci-dessous, p. 69.

26. On a quelque raison de penser que ce traducteur est Serge de Reshaina (mort en 536), cf. A. GUILLAUMONT, *Les Képhalaia gnostica*, p. 222-227. En revanche, l'auteur de cette version est à distinguer de l'auteur de la version S_3 du *TP* dont la méthode de traduction est toute différente, cf. *SC* 170, p. 331-334.

27. Cf. WRIGHT, *op. cit.*, p. 676-678, où ce manuscrit est décrit sous le n° DCCXLIII; voir aussi *PO* 28, p. 6.

28. Texte édité par MUYLDERMANS, *Evagriana Syriaca*, p. 133-134 (trad. p. 163-164); éd. du texte grec et traduction par P. GÉHIN, *SC* 340, p. 482-486.

manuscrits de S_1 et figurer (sous le sigle S_3) dans le stemma qui en a été donné[29].

c - La version S₂

Il existe, indépendamment des deux précédentes, une autre version syriaque, dans laquelle le *TP* et le *Gnostique* sont présentés comme deux traités distincts, le second étant pourvu d'un titre (sigle S_2)[30]. Elle est connue par deux manuscrits de Londres, qui nous ont conservé également la version S_2 du *TP*, œuvre apparemment du même traducteur[31]. Ces deux manuscrits sont les suivants :

— *Add. 17165*, manuscrit de parchemin en écriture *estranghelo* du VIe siècle, entièrement consacré aux œuvres d'Évagre[32]. Le *Gnostique* se lit aux fol. 26[r]-34[v]. Il est précédé des sentences métriques *A une vierge* et il est introduit par le titre «A celui qui est devenu digne de la science». Les chapitres sont bien distincts et régulièrement numérotés à l'aide des adjectifs numéraux ordinaux (le huitième a été omis). Par suite de l'absence d'un folio entre les fol. 29 et 30, il manque la fin du ch. 21, les ch. 22-24 et le début du ch. 25. A la suite vient la version de l'*Antirrhétique*.

29. Ci-dessus, p. 57. Il apparaît que le texte de S_3 est étroitement apparenté à celui du codex *Add. 14581*, représentant de la meilleure tradition textuelle de S_1.

30. Cette version, déjà mentionnée par A. BAUMSTARK, *Geschichte der syriaschen Literatur*, Bonn 1922, p. 86, n. 8, est étudiée par MUYLDERMANS, *Evagriana Syriaca*, p. 70-75, où est édité un choix de huit chapitres (ch. 2, 3, 5, 13, 35, 37, 38 et 46).

31. Ce que confirment la parenté du vocabulaire et, d'autre part, la méthode de traduction (cf. ci-dessous, p. 69-71). Sur la version S_2 du *TP*, voir SC 170, p. 327-331, et 171, p. 733-735.

32. Décrit, sous le n° DCCXXXIII, dans WRIGHT, *op. cit.*, p. 654-655 ; ce manuscrit est de nature composite, cf. SC 170, p. 324 et 327-328. Une photographie nous en a été fournie par l'I.R.H.T., ainsi que du manuscrit suivant.

— *Add. 14616*, manuscrit de parchemin, en *estranghelo* du VIe-VIIe siècle[33]. Parmi un choix d'œuvres d'Évagre, le *Gnostique* se trouve aux fol. 33^r-40^r, faisant suite aux sentences métriques *Aux moines*. Il est précédé du titre « A un frère qui est devenu digne de la science »; dans ce titre le mot « frère » provient d'une confusion graphique avec le pronom « celui », qui se lit dans le manuscrit précédent[34]. Les chapitres ne sont pas numérotés, mais sont séparés par une ponctuation. Plusieurs chapitres sont omis : ch. 14, 15, 19, 20, 21, 26, 34, 40 et 41. Comme dans le manuscrit précédent, le *Gnostique* est suivi de l'*Antirrhétique*.

Malgré leurs lacunes ou omissions respectives, ces deux manuscrits nous ont conservé un texte complet, à l'exception des derniers mots du ch. 21. Bien que différenciés par d'assez nombreuses variantes, ils remontent à un modèle commun; un même accident de copie démontre cette parenté : chez tous deux, y compris celui qui n'a plus de numérotation, le mot « premier », signalant le premier chapitre, est passé dans le texte de ce chapitre (« Les pratiques premiers... »)[35]. En outre, dans les deux manuscrits, le dernier chapitre comporte un petit supplément qui est probablement une addition d'un copiste[36]. Comme le montre l'âge des manuscrits, cette version remonte au moins au VIe siècle; plus précisément elle est antérieure à 534, date du ms. *Add. 12175*, qui contient une version de la *Lettre à Anatolios* qui est du même auteur que la version S_2 du *TP* et du *Gnostique*[37].

33. Décrit, sous le n° DCCXLIV, dans WRIGHT, *op. cit.*, p. 678-680; cf. *SC* 170, p. 327.

34. Voir ci-dessus, p. 20, n. 11. Sous la forme « A celui qui... », le titre est tout à fait conforme à celui que donne, en grec, Socrate (cf. *ibid.*).

35. Cet accident est analogue à celui que l'on a rencontré dans la version S_1, où le titre « Le Gnostique » est passé, dans une partie de la tradition, dans le premier chapitre, cf. ci-dessus, p. 20-21.

36. Voir les notes de ce chapitre, ci-dessous, p. 193.

37. Cf. *SC* 170, p. 328 et, pour la démonstration de l'appartenance à S_2, voir *SC* 171, p. 733-735.

Pour le ch. 41 on dispose d'une autre version, indépendante des trois précédentes, due au traducteur syriaque des *Lettres* de Sévère d'Antioche à Serge le Grammairien[38]. Cette traduction est faite directement sur le texte grec que citait Sévère et est donc, pour ce chapitre, un nouveau témoin du texte original.

2. La version arménienne

Cette version est éditée dans l'édition arménienne des œuvres d'Évagre publiée en 1907, à Venise, par le Méchithariste Barsel V. Sarghisian[39]. Le *Gnostique* se trouve aux pages 12-22; il est précédé d'un texte assez court ayant pour titre «Explication d'Ézéchiel[40]»; il est suivi du *TP*, pourvu de la *Lettre à Anatolios*, les deux livres étant introduits par un titre commun : «Le gnostique et le pratique». Cette édition, accompagnée d'un apparat critique, est fondée sur trois manuscrits de la bibliothèque des Méchitharistes de Venise : le cod. 716 (sigle 𝒰), dont elle reproduit le texte, copie moderne, en écriture *notragir*, d'un ancien exemplaire daté de 1305, et deux autres, dont les leçons sont données dans l'apparat : cod. 427 (sigle 𝒫) et cod. 1552 (sigle 𝟤), non datés, également en écriture *notragir*[41]. Parmi les nombreux autres manuscrits de la version arménienne d'Évagre, nous avons pu collationner les suivants, qui, écrits en *bolorgir*, sont vraisemblablement plus anciens que ceux qu'a utilisés Sarghisian :

38. Voir les références données dans les notes de ce chapitre, ci-dessous, p. 166.

39. Voir ci-dessus, p. 21, n. 14.

40. Texte qui se lit en grec, sous le nom de Grégoire de Nazianze, dans *PG* 36, 665 A-669 A.

41. Description dans Sarghisian, *op. cit.*, introduction, p. 183-186 (en chiffres arméniens).

— *Erivan 1357*, écrit sur deux colonnes; recueil de textes patristiques, XVIᵉ siècle. Le *Gnostique* est aux fol. 38ʳ-42ʳ, mis sous le titre «Le gnostique et le pratique». Il est précédé du *Syntagma doctrinae*, que la tradition arménienne attribue à Évagre[42]; il est suivi de la *Lettre à Anatolios*, prologue du *TP*.

— *Erivan 2540*, écrit en pleine page; recueil d'œuvres d'Évagre, XIVᵉ s. Le *Gnostique* se trouve aux fol. 28ʳ-36ʳ, après le titre «Du même Évagre, le gnostique et le pratique», comme dans le manuscrit précédent et dans l'édition de Sarghisian; mais ici le *TP* est placé avant le *Gnostique* et prend fin, avec son épilogue, juste avant ce titre. Le *Gnostique* est suivi du *Traité à Euloge*[43].

— *Nouvelle-Djoulfa 114* (nᵒ 404 du Catalogue de S. Ter-Avetissian), daté de 1676 et écrit en *notragir* (quelques pages, çà et là, en *bolorgir*)[44]. Ce manuscrit de 219 folios est entièrement consacré aux œuvres d'Évagre, pourvues d'un commentaire, mais, du *Gnostique*, il ne donne, aux fol. 129ᵛ-132ʳ, que les cinq derniers chapitres, ch. 46-50[45]. Aucun titre n'introduit ces chapitres, qui s'enchaînent directement, à la 3ᵉ ligne du fol. 129ᵛ, aux derniers mots du *Syntagma doctrinae*; l'absence des chapitres précédents, dans un manuscrit où les autres œuvres d'Évagre sont données sous une forme complète, s'explique probablement par l'absence accidentelle de plusieurs folios dans le

---

42. Voir J. MUYLDERMANS, «Une recension arménienne du *Syntagma doctrinae*», *Handes Amsorya* 41, 1927, col. 687-700.

43. Nous devons la connaissance de ces deux manuscrits d'Erivan à J.-P. Mahé, qui nous a procuré la photographie des folios indiqués, ainsi que les informations les concernant.

44. Nous devons la connaissance de ce manuscrit à dom Ch. Renoux, qui nous en a procuré la photographie.

45. Le commentaire paraît être celui de Grégoire le Martyrophile (XIᵉ s.), que mentionne SARGHISIAN, *op. cit.*, introduction, p. 154-157 (en chiffres arméniens).

modèle utilisé par le copiste[46]. A la suite vient la série de sentences dont l'*incipit* est «Les prémices de mon aire ...[47]».

— Paris, *Bibliothèque Nationale, Arm. 113*, manuscrit de papier, daté de 747 de l'ère arménienne, soit 1298 de notre ère, écrit en *bolorgir*[48]. Ce manuscrit est consacré, comme le précédent, aux œuvres d'Évagre, dont le texte est noyé dans une prolixe paraphrase. Le *Gnostique* se trouve aux fol. 114^v-129^r. Il est introduit, ici encore, par le titre «Le gnostique et le pratique» et à sa suite vient le *Traité à Euloge*.

Dans tous ces manuscrits, comme dans le texte de Sarghisian, les chapitres ne sont pas numérotés et le texte se présente d'une façon continue. La collation de ces manuscrits n'a pas fourni de variantes importantes par rapport au texte de Sarghisian. On a constaté, assez souvent, mais sur des points mineurs, l'accord des manuscrits d'Erivan avec les leçons du cod. 1552 de Venise données, en apparat, par Sarghisian; ce manuscrit offre parfois de bonnes leçons : ainsi au ch. 49, où il est en accord avec *N.-Djoulfa 114* et les versions syriaques (cf. ci-dessous, p. 191); au ch. 42, il comble une longue lacune (cf. ci-dessous, p. 170). Il lui arrive cependant, en quelques points, de gloser arbitrairement le texte[49].

---

46. Ce manuscrit lui-même, dans son état actuel, présente un certain désordre dans la suite des cahiers (en outre un cahier et demi manque); mais cet accident, dont ne tient pas compte la pagination actuelle, ne peut expliquer la disparition de la plus grande partie du *Gnostique*.

47. Sur ce texte, conservé aussi en grec et en syriaque, voir *SC* 170, p. 173, n° 16.

48. Description sommaire dans F. MACLER, *Catalogue des manuscrits arméniens et géorgiens de la Bibliothèque Nationale*, Paris 1908, p. 55-56. Ce manuscrit a été collationné sur place.

49. Par exemple, au ch. 13, après «jeunes gens» (traduction de μοναχοί, cf. ci-dessous, p. 107), il ajoute : «qui, à cause de leur âge, ont un tempérament ardent et d'autres qui sont d'âge accompli, les séculiers ...» (SARGHISIAN, p. 14).

L'âge des manuscrits n'est d'aucun secours pour fixer la date de cette version, le plus ancien étant de la fin du XIIIᵉ siècle[50]. Sarghisian situe, de façon globale, au vᵉ siècle la date de la traduction en arménien des œuvres d'Évagre[51]. Bien qu'on ne puisse affirmer que tous les livres d'Évagre aient été traduits à la même époque, il est possible, semble-t-il, de retenir cette date pour la version du *Gnostique*. La langue de cette version, en effet, ne présente aucun des traits caractéristiques de celle des traductions de l'époque dite «hellénistique», c'est-à-dire le vIᵉ siècle[52]. Certains faits de langue, notamment l'emploi comme conjonction du relatif *np*, que Sarghisian relève également chez des auteurs arméniens anciens, tel Fauste de Byzance, sont aussi l'indice de l'ancienneté de cette version[53]. On peut donc, avec une certaine vraisemblance, situer au vᵉ ou au début du vIᵉ siècle la version arménienne du *Gnostique*, qui se trouve ainsi à peu près contemporaine des versions syriaques.

Sur quel texte cette version a-t-elle été faite? Est-ce directement sur le texte grec ou sur une version syriaque, comme le fait est assuré pour d'autres livres d'Évagre,

50. L'époque, médiévale, des commentateurs que l'on peut identifier n'est pareillement d'aucun secours. Sarghisian (p. 162 de son introduction) relève toutefois des citations de textes d'Évagre, notamment du *Traité à Euloge*, chez un auteur du vIIᵉ siècle, Anania Chirakatsi. Il fait, d'autre part, des rapprochements, plus ou moins probants, avec des auteurs arméniens du vᵉ siècle (*ibid.*, p. 162 et s.).

51. Voir le titre de son ouvrage, traduit ci-dessus, p. 21, n. 14.

52. Voir Charles MERCIER, «L'école hellénistique dans la littérature arménienne», *Revue des Études Arméniennes*, N.S. 13 (1978-1979), p. 59-75.

53. Introduction, p. 174 (en chiffres arméniens). Selon Sarghisian, la langue de la traduction des traités d'Évagre, au moins du *TP*, du *Gnostique* et de l'*Antirrhétique*, présente «les caractères de l'excellent arménien de l'école de Mesrop» (*ibid.*, p. 172); il va jusqu'à affirmer que le traducteur de ces traités d'Évagre pourrait être un disciple de Sahak et de Mesrop, Korioun (*ibid.*, p. 174). Ce ne peut être qu'une hypothèse!

notamment les *Képhalaia gnostica*[54]? Une simple confrontation montre, de façon évidente, qu'elle n'a été faite sur aucune des trois versions syriaques que nous connaissons. Bien plus, des indices certains montrent qu'elle a été faite directement sur un texte grec[55]. Certaines particularités de cette version ne peuvent s'expliquer que par une mauvaise lecture du texte grec : par exemple, au ch. 45, προσεχής lu προσευχῆς[56]. Surtout le traducteur arménien a, aux dépens même de la clarté, souvent respecté l'ordre des mots de la phrase grecque plus fidèlement que ne l'ont fait et ne pouvaient le faire les traducteurs syriaques[57].

3. Caractère et valeur des versions

Ces versions, faites chacune directement sur le texte grec, sont indépendantes les unes des autres, à l'exception de S_3 qui est une révision de S_1, mais faite elle-même sur le texte grec. Leur indépendance est prouvée par les différences qui apparaissent entre elles quand on les met en parallèle. Ces différences peuvent tenir à trois causes[58].

Elles peuvent tenir au fait que les traducteurs n'ont pas eu le même texte grec, ce qu'il est aisé de constater quand celui-ci est conservé : pour le ch. 36 nous avons, exception-

---

54. Voir A. GUILLAUMONT, *PO* 28, p. 9, et *Les Képhalaia gnostica*, p. 202-204 (traduction fait sur S_1).

55. La démonstration en a déjà été faite, en 1931, par I. HAUSHERR, *Les versions*, p. 100-114. La conclusion à laquelle il aboutit reste ferme, bien que la documentation dont nous disposons maintenant rende caducs certains des arguments allégués.

56. Voir ci-dessous, p. 180 : fait déjà relevé par HAUSHERR, *art. cit.*, p. 106.

57. Voir ci-dessous, p. 71-72.

58. Il n'est fait état, dans la suite, que d'un certain nombre de différences, à titre d'exemples. Dans le Commentaire lui-même, seules ont été signalées celles qui ont paru présenter un intérêt pour l'interprétation du texte.

nellement, deux textes grecs : l'un (Œcumenius) avec κρίσεως, leçon qui est celle aussi des versions syriaques, l'autre (ms. K) avec κολάσεως, leçon que semble avoir connue *Arm.* (cf. ci-dessous, p. 156, *Le jugement*); ch. 32, le texte grec comporte un δεῖ, qui a été lu par *Arm.*, mais que les versions syriaques n'ont pas connu (cf. ci-dessous, p. 148, *Il faut en effet*); ch. 47, S_1 et S_3 ont lu γνῶσις, que donne le texte grec conservé, mais S_2 et *Arm.* ont lu πόσις (cf. ci-dessous, p. 185, *Quand il a bu la science spirituelle*). Quand le texte grec n'est pas conservé, la divergence existant entre les versions peut parfois attester deux leçons différentes dans le texte original : ch. 28 (à la fin, *Fille de l'impassibilité*, ci-dessous, p. 140), S_3 a lu vraisemblablement ἀπείθεια, alors que toutes les autres versions ont lu ἀπάθεια.

Plus souvent, les différences entre les versions tiennent au fait qu'elles ont compris différemment le texte grec, soit que la syntaxe de celui-ci ait été équivoque (ch. 9, *Comment elle sera sauvegardée et ira grandissant*, ci-dessous, p. 102), soit que l'une des versions ou plusieurs d'entre elles aient commis un contresens : ch. 15, S_1 et S_2 (cf. ci-dessous, p. 113), ch. 36 (à la fin), S_3 (cf. ci-dessous p. 157), ch. 50, faux-sens sur κερδᾶναι dans S_1 et dans S_2 (cf. ci-dessous, p. 192-193, *Gagner celle qui est déchue*). Les divergences les plus importantes et les plus nombreuses apparaissent dans la traduction des chapitres les plus difficiles (souvent les plus longs), dont le texte grec n'est pas conservé, et l'on peut penser qu'elles sont dues — comme aussi peut-être la disparition du texte grec — à la difficulté même du texte, chaque traducteur ayant interprété le texte comme il croyait le comprendre : voir notamment ch. 14 (entier, cf. ci-dessous, p. 108-113), ch. 18 (cf. ci-dessous, p. 117-118, *Si celle-ci est vue ...*), ch. 28 (cf. ci-dessous, p. 139, *Quand la vertu est devenue prééminente*), ch. 49 (cf. ci-dessous, p. 190, *Vers la Cause première*).

Mais les différences existant entre les versions tiennent

surtout au fait que chaque traducteur a sa manière particulière de traduire et chaque version son caractère propre.

S₁. — S_1 est, dans l'ensemble, une traduction assez fidèle du texte grec ; le traducteur a même, assez souvent, respecté l'ordre des mots de la phrase grecque, dans la mesure où la langue syriaque le lui permettait ; remarquable est aussi la grande constance de son vocabulaire : il a régulièrement rendu, sauf rares exceptions, les termes techniques de la langue d'Évagre par les mêmes mots syriaques. Mais le souci de la précision et de la clarté le conduit parfois, soit à faire de brèves additions, par ex. ch. 7 «même sans argent», ch. 29 «dans ton enseignement», ch. 32 «contre leurs compagnons» (cf. ci-dessous, p. 98, 143 et 148), soit à développer certains termes, notamment dans la reprise d'une énumération, par ex. ch. 45 (cf. ci-dessous, p. 180, *La première ... la deuxième*) et surtout ch. 20 (cf. ci-dessous, p. 121, *En premier lieu ... en second ... en troisième lieu*), où, non seulement il explicite chacun des trois termes, mais il ajoute pour chacun d'eux un développement destiné à rendre plus nettement ce que veut dire Évagre. Pour la même raison, il ajoute parfois un «si» au début d'une proposition, pour mieux marquer l'articulation logique du chapitre, procédé que l'on rencontre aussi chez les autres traducteurs, mais plus souvent chez lui (ch. 37, 41, 46, voir ci-dessous, p. 158, 167 et 182). Selon une tendance que l'on constate également chez les autres traducteurs, surtout les syriaques, il substitue spontanément au tour impersonnel du grec le tour personnel, par ex. ch. 20 et 23 (cf. ci-dessous, p. 119 et 125). Plus que les autres traducteurs, il a été gêné par certains faits de syntaxe grecque, comme l'emploi de λανθάνω suivi d'un participe, ch. 33 (cf. ci-dessous, p. 150, *A son insu*) et ch. 6, où il s'est, en outre, mépris sur le sens du texte (cf. ci-dessous, p. 97, *Condescendance*). Il lui arrive même de commettre un grave contresens (ch. 15, cf. ci-dessous, p. 113).

S₃ révision de S₁. — L'auteur de *S₃*, réviseur de *S₁*, s'est, tout en gardant le plus possible la traduction de son prédécesseur, manifestement appliqué à la rendre plus fidèle au texte grec. Il a été sensible à la concision du style d'Évagre et il a cherché, autant que possible, à la conserver. Aussi a-t-il systématiquement supprimé les additions et les développements que s'était permis *S₁* pour rendre le texte plus clair (voir les exemples donnés ci-dessus, auxquels on peut ajouter la suppression de « le Guittite », au ch. 38, cf. ci-dessous, p. 160, *Le lévite*). En revanche, il a rétabli, au ch. 44, le mot « seule », omis par *S₁* et dans le texte grec de Socrate, mais attesté par toutes les autres versions (cf. ci-dessous, p. 176, *Par la seule sagesse*). Il a aussi le souci de mieux rendre certains termes du vocabulaire technique d'Évagre : il traduit régulièrement le mot λόγοι, pris au sens de « raisons », non plus par ܟܠܬ, « paroles », comme l'avait fait *S₁*, mais par ܡܕܥܬܐ, « intellections », ce qui répond mieux à la signification technique du mot. Il corrige les fautes et contresens commis par son prédécesseur : ainsi la faute sur λανθάνω aux ch. 6 et 33 (signalée ci-dessus), le contresens commis au ch. 15 (signalé aussi ci-dessus) et le faux-sens sur κερδᾶναι, au ch. 50, qui a empêché *S₁* de comprendre le sens de ce dernier chapitre (cf. ci-dessous, p. 192-193, *Gagner celle qui est déchue*). Cependant il se montre parfois négligent et omet de corriger son prédécesseur : ainsi pour la traduction du second συγκατάβασις au ch. 6 (cf. ci-dessous, p. 97) ; en outre, il lui arrive, une fois, de le corriger à tort : au ch. 36, où il comprend autrement que lui, mais probablement en se méprenant, la syntaxe de la dernière phrase (cf. ci-dessous, p. 157, *Condamnée à l'ignorance*).

S₂. — La tendance générale et manifeste de l'auteur de *S₂* est de donner du texte, que, sauf quelques exceptions, il comprend bien, une version aussi claire que possible. Aussi, plus encore que celui de *S₁*, il recourt au délayage de l'expression et à la glose explicative : par ex.,

ch. 33, après «celui qui guérit», il ajoute «par l'enseignement» pour bien montrer qu'il s'agit, en réalité, du
gnostique, et non du médecin (cf. ci-dessous, p. 150);
ch. 44, «par la ... sagesse» devient chez lui «par la sagesse
véritable du Christ» (cf. ci-dessous, p. 176); comme S_1, il
explicite les termes d'une énumération au lieu de garder
«la première, la deuxième, etc.» (ch. 4, 22, 45). Il remplace
certaines expressions par d'autres plus claires : ch. 6, au
lieu de «l'intellect est trahi», il dit «est livré au péché» (cf.
ci-dessous, p. 98); ch. 7, au lieu de «il mettra en branle
l'instrument de son âme», il dit plus simplement «il
travaillera de ses mains» (cf. ci-dessous, p. 98); ch. 25, au
lieu de «jeunes gens», il dit de façon plus précise «ceux qui
maintenant ont débuté dans la vie monastique» (cf. ci-
dessous, p. 128); ch. 30, «l'économe» devient «celui qui
possède l'argent et l'administre avec piété» (cf. ci-dessous,
p. 145). Il évite les termes techniques : à «impassibilité» il
préfère «santé de l'âme», par ex. ch. 37 (cf. «santé de
l'intellect», ch. 2); comme S_1 il traduit habituellement
λόγοι par ܟܠܡܐ, «paroles», mais il développe ce terme ou,
parfois, le remplace par un autre pour mieux en rendre le
sens; ainsi ch. 4, où apparaît bien la manière dont il
traduit : «La doctrine qui est à l'extérieur, quand nous la
cherchons, c'est par le moyen des *paroles des sages* (= διὰ
τῶν λόγων) que nous les recevons; mais la science véritable
survient en nous par la grâce de Dieu qui montre à notre
intellect les choses de façon simple; et, en retour, notre
intellect qui voit les choses simples s'applique à saisir *leurs
vérités* (= τοὺς αὐτῶν λόγους)»; ch. 36, «l'ignorance» devient
«l'obscurité et les ténèbres de l'intellect» (cf. ci-dessous,
p. 157); ch. 21, le terme technique du langage théologique
«en vertu de l'Économie» est remplacé assez platement par
«en vue du profit» (cf. ci-dessous, p. 123); ch. 41, il
commet un faux sens en traduisant εἶδος, pris au sens
philosophique de «espèce», par «vision» (cf. ci-dessous,
p. 167). Certaines de ses gloses sont inspirées par le texte

scripturaire : par ex. ch. 38 «Le Seigneur le bénit» (cf. ci-dessous, p. 161); ch. 17, il ajoute curieusement au texte une citation libre d'*Eccl.* 3, 1 (cf. ci-dessous, p. 115); en revanche, ch. 25, il supprime la citation d'*Eccl.* 8, 8, probablement parce qu'elle ne lui paraît pas claire (cf. ci-dessous, p. 130); pour la même raison sans doute, il supprime la dernière phrase du ch. 14, dont le rapport avec ce qui précède n'apparaît pas clairement (cf. ci-dessous, p. 111-112). Certaines gloses montrent qu'il est un homme cultivé, ainsi ch. 12, où il glose «choses indifférentes» en ajoutant «dans lesquelles il n'y a ni profit ni perte» (cf. ci-dessous, p. 106); d'autres, qu'il connaît son Évagre : ainsi l'addition sur la prière pure à la fin du ch. 11 (cf. ci-dessous, p. 105). Plus encore que S_1 il remplace volontiers le tour impersonnel par le tour personnel, plus direct : ainsi ch. 41 «Adorons», au lieu de «Que soit adoré» (cf. ci-dessous, p. 167); parfois en ajoutant une note de caractère parénétique : ch. 16 «Ne nous attristons pas» (cf. ci-dessous, p. 114-115). Il lui arrive de faire des contresens, par exemple, comme S_1, ch. 15; il se méprend sur le sens général du ch. 19 (cf. ci-dessous, p. 119); en revanche, il explicite de façon exacte le sens du ch. 49 (cf. ci-dessous, p. 191). En somme, ce traducteur a eu le mérite de bien chercher à comprendre le texte d'Évagre et à le rendre de façon compréhensible; il a voulu, autant que possible, le rendre accessible à tous et «utile à l'âme[59]».

Version arménienne. — L'auteur de la version arménienne se montre plus prudent que ce dernier et ne se permet pas de gloser le texte; plus encore que les traducteurs syriaques, il est soucieux de respecter l'ordre des mots du texte grec; ainsi ch. 44, seul de tous les traducteurs, il a conservé le procédé stylistique du grec qui, énumérant l'action de chaque vertu, a, pour la troisième («Recevoir...», c'est le propre de la continence»),

---

59. Cette tendance est nette également dans la version S_2 du *TP*, due vraisemblablement au même traducteur, voir *SC* 170, p. 330.

inversé, par un effet de *variatio*, l'ordre des mots ; ch. 38,
seul aussi des traducteurs, il a fidèlement gardé l'ordre des
mots de l'expression grecque, omettant, pour cela, de
mettre γέγονε en facteur commun : «Grand d'entre les
pauvres et il devint illustre d'entre les méprisés»; voir
aussi sa traduction du début du ch. 47 : «Disait celui qui
des Ormites (= Thmouites, cf. ci-dessous, p. 185) de
l'Église l'ange était, Sérapion». Cette fidélité, allant parfois
jusqu'à la servilité, nuit à la clarté du texte arménien ; cela
tient notamment à l'inversion fréquente du verbe et de son
complément, ou du nominatif et du génitif complément de
nom, tour peu clair en arménien à cause de l'absence
d'article séparable, comme la remarque en a déjà été faite
par Sarghisian, qui ajoute que le texte arménien devient
clair si le lecteur rétablit mentalement le texte grec sous-
jacent[60]. L'obscurité de la version arménienne tient aussi
au fait que, à la différence des versions syriaques, elle ne
présente guère de constance dans le choix du vocabulaire ;
un mot grec peut être traduit par différents termes
arméniens et, inversement, un même mot arménien peut
servir à traduire différents termes grecs : si le mot
γνωστικός est régulièrement traduit par le même mot
զիտնական et γνῶσις par զիտութիւն, ce dernier mot rend
aussi θεωρία au ch. 44 (de même aussi ch. 25, cf. ci-dessous,
p. 129); mais, dans ce ch. 44, il sert aussi à traduire
φρόνησις *(secundo)*; or dans ce même chapitre, ce mot
φρόνησις, dans sa première occurrence, est rendu par
խորհրդ ; ce dernier terme, d'autre part, traduit οἰκονομία
au ch. 21, il a le sens de «mystère» au ch. 41 et, au ch. 27,
il sert à rendre ἀπερισκέπτως (litt. «sans réflexion»)[61].

---

60. SARGHISIAN, *op. cit.*, Introd., p. 174-175 (en chiffres arméniens).

61. Ce même mot rend probablement θεωρία au ch. 20 (cf. ci-
dessous, p. 120); dans le *TP*, il traduit habituellement λογισμός, pris
dans le sens évagrien de «mauvaise pensée», absent du *Gnostique*. Sur
les différentes équivalences de ces termes, voir HAUSHERR, *Les
versions*, p. 87.

Le traducteur a aussi une évidente difficulté à traduire certains termes techniques, par exemple ceux de la langue théologique : «en vertu de l'Économie», ch. 21, devient chez lui «avec une intention»; ceux de l'exégèse : même chapitre, οὐκ ἀλληγορήσεις est traduit «tu n'interprèteras pas librement»; ch. 18, au lieu de «passages allégoriques... passages littéraux», il dit «les questions, celles qui sont simples et celles qui sont de controverse» (cf. ci-dessous, p. 116); ch. 34, au lieu de «tout ce qui se prête à l'allégorie» (d'après le syriaque), on lit chez lui «tout ce qui se présente pêle-mêle» (cf. ci-dessous, p. 152); de même pour les termes de la langue philosophique, en particulier au ch. 41, voir ci-dessous, p. 167, *A comme prédicat ou un genre... ou une différence ou une espèce.* Dans ces conditions, la version arménienne, si elle est très utile pour rétablir l'ordre des mots grecs, quand le texte grec fait défaut, est de peu de secours pour restituer les mots grecs eux-mêmes, en particulier quand il s'agit des termes techniques de la langue d'Évagre. A cela il faut ajouter que, conformément à une habitude bien connue des auteurs arméniens, le traducteur met souvent deux mots là où le grec en a un seul, fait dont doit tenir compte celui qui veut faire une rétroversion : par ex. ch. 6, συγκατάβασις est traduit, les deux fois, par «condescendre et pardonner»; ch. 22, σκυθρωπός est traduit «triste et sombre»; ch. 37, μὴ καθυβρίσῃς l'est par «ne méprise pas et n'outrage pas»; ch. 15 τοὺς λόγους est traduit զճառս եւ զբանս, «les discours et les paroles» (les deux mots sont synonymes); parfois le second mot est surbordonné au premier : ainsi ch. 4, la même expression est rendue par «les discours des paroles»; de même, ch. 44, σωφροσύνη est traduit par «chasteté de sainteté» *(primo)* et «sainteté de pureté» *(secundo).* En outre le traducteur a commis un assez grand nombre d'inexactitudes, d'omissions, de faux-sens (par exemple sur ἐκπεσοῦσαν, ch. 50, cf. ci-dessous, p. 193), voire des contre-sens : par ex. au ch. 1, il a inversé les termes πρακτικούς et

γνωστικά ; ch. 6, il a pris τὸν νοῦν pour un complément
d'objet, etc. Sa traduction est parfois obscure, ou même
incompréhensible, surtout dans les chapitres les plus longs
où il a été embarrassé par la difficulté du texte, comme les
traducteurs syriaques, par ex. ch. 14, parfois plus qu'eux,
par ex. ch. 18, 20, 25. De plus, l'absence de numérotation
et de séparation des chapitres a entraîné des confusions, le
traducteur rattachant la phrase initiale d'un chapitre à la
dernière du chapitre précédent, ce qui a eu pour effet de
modifier la construction syntaxique et d'altérer le sens (cf.
ch. 9-10, ci-dessous, p. 102), parfois même de rendre le
texte incompréhensible (cf. ch. 40-41, p. 165, *Du Christ*, et
p. 167, *Toute proposition*).

CHAPITRE III

L'ÉTABLISSEMENT DU TEXTE

L'éditeur du *Gnostique* dispose donc, pour établir le texte, de cinq témoins : les quatre versions, auxquelles s'ajoutent les fragments grecs, qui représentent environ la moitié du texte complet. Si le caractère et la valeur de chacune des versions ont pu être appréciés principalement par leur confrontation avec le texte grec, inversement la valeur du texte grec peut être testée par la comparaison avec les versions. On ne saurait, en effet, considérer *a priori* comme toujours sûr le texte grec donné par les fragments conservés : l'origine et la nature de ces fragments peuvent inspirer quelques doutes sur la qualité du texte ; les extraits transmis par la tradition directe sont de médiocre qualité, comme l'a montré l'examen des extraits du *Traité pratique* contenus dans les mêmes manuscrits, lors de l'établissement critique du texte de ce traité, pour lequel on disposait, par ailleurs, de nombreux et sûrs témoins[1] ; ceux qui proviennent de florilèges n'offrent pas plus de garanties que n'en offrent d'ordinaire les textes transmis par de tels recueils ; quant aux citations, elles sont exposées aux libertés que se permettent souvent les auteurs de citations ; celles de Socrate, du moins celles qui

---

1. Voir *SC* 170, p. 371-372 (omissions, transpositions de mots, additions, substitutions d'un terme à un autre, etc.).

sont faites avec une intention explicite de littéralisme, présentent de meilleures garanties, mais ne sont pas indemnes des altérations qui surviennent dans la transmission de tout texte.

Il est malheureusement impossible de parvenir à un classement satisfaisant de ces cinq témoins, quatre d'entre eux étant des versions. Les nombreuses divergences relevées entre celles-ci tiennent le plus souvent au fait que chaque traducteur a, comme on l'a vu, sa manière propre de traduire, si bien qu'il est impossible d'identifier les variantes que comportaient les textes dont disposait chacun d'eux, sauf en de rares cas mentionnés ci-dessus (p. 66-67), trop peu nombreux pour permettre un classement. La difficulté est la même pour classer les manuscrits grecs ; ceux-ci ne fournissent qu'un nombre restreint de témoins, car les mss JLKM n'en représentent qu'un seul, réserve faite des quelques corrections marginales de K, et le texte donné par les florilèges est trop peu rigoureux pour pouvoir entrer dans un classement[2] ; de plus les fragments grecs ne forment que la moitié environ du texte complet, ce qui réduit considérablement le nombre des variantes sur lesquelles fonder un classement ; en outre on ne dispose de plusieurs témoins grecs que pour un très petit nombre de chapitres, soit 7 sur 50.

Ne pouvant, dans ces conditions, prendre appui sur un classement pour éditer le texte, il a fallu user d'une autre méthode ; pour l'exposer, il convient de distinguer deux cas, selon que l'on dispose ou non du texte grec.

Quand existe un texte grec, nous le suivons en principe, même dans les cas où il a contre lui le témoignage unanime des versions mais où il paraît préférable ou simplement acceptable : ainsi ch. 2, maintien de μόνον, ch. 13 μοναχούς,

---

2. Les corrections faites dans K par une seconde main apportent le témoignage d'un texte plus ancien qui semble avoir quelque parenté avec celui sur lequel repose la version arménienne ; mais les indices relevés sont trop peu nombreux et trop ténus pour être probants.

ch. 24 αὐτός (lu οὗτος ὁ par les versions), ch. 37, omission de « si » donné par les versions.

Dans les quelques chapitres transmis par deux, éventuellement trois, témoins grecs en désaccord entre eux, les versions aident à établir le texte : ainsi ch. 36 κρίσεως (au lieu de κολάσεως), ch. 37 διαίτης (au lieu de δουλείας), ch. 44, l. 1 τῆς θεωρίας αὐτῆς, l. 4 καὶ ἁγίας, l. 4 τῶν λόγων, l. 5 μόνης, l. 10 τοὺς λόγους, ch. 45. l. 2 προσεχής (au lieu de προσοχῆς), ch. 47, l. 2 πεπωκώς (au lieu de πεπτωκώς) ; aux ch. 30 et 31, les versions invitent à préférer le texte des mss JLKM à celui, librement traité, du florilège pseudo-nilien.

Dans certains cas cependant le témoignage des versions oblige soit à compléter le texte fourni par les sources grecques, ainsi ch. 4 et 42, soit même à le corriger, ainsi ch. 22 (inversion des adjectifs δυσπρόσιτον et σκυθρωπόν), ch. 32 βουλομένων (au lieu de βουλόμενον), ch. 33 ἀναγκαίως (au lieu de μᾶλλον ἐκείνου), ch. 37 ταπεινώσας (au lieu de θανατώσας), ch. 48 τῶν κόσμων (au lieu de κατὰ τὸν κόσμον) ; le témoignage des versions a permis aussi de rétablir dans leur forme originale le ch. 27, citation faite librement, au style indirect, par Socrate, et les trois premiers chapitres artificiellement regroupés et disposés par l'auteur du florilège qui les a conservés (cf. ci-dessous, p. 88).

Pour les chapitres qui sont connus seulement par les versions, le travail consistant à reconstituer le texte original est évidemment plus délicat, d'autant plus que les versions sont souvent en désaccord entre elles, désaccord qui est le plus grand quand précisément le texte grec est disparu. Quand le désaccord portant sur certains termes est dû seulement aux habitudes des traducteurs on peut, en ce cas, rétablir aisément les mots grecs, par exemple :

ἡ πρακτική, ch. 18 (2 fois) :

	S_1	S_3	S_2	Arm.
(primo)	les conduites de la vertu	la pratique	les pratiques des commandements	les pratiques
(secundo)	les conduites	la pratique	notre pratique	les pratiques

et ch. 49 :

S_1	S_3	S_2	Arm.
les bonnes conduites	la pratique	les pratiques des commandements	les pratiques

ou τὰ πρακτικά, ch. 12 :

S_1	S_3	S_2	Arm.
les œuvres de la vertu	les (choses) pratiques	les pratiques des commandements	les (choses) pratiques[3]

ou ἡ θεολογική, même chapitre :

S_1	S_3	S_2	Arm.
la science de Dieu	les paroles concernant Dieu	les paroles concernant la divinité	les paroles divines

ch. 18 (2 fois) :

	S_1	S_3	S_2	Arm.
(primo)	la science de Dieu	(illisible)	les paroles concernant la divinité	les paroles divines
(secundo)	la divinité	les paroles concernant Dieu	les paroles divines	les paroles divines

ch. 49 :

S_1	S_3	S_2	Arm.
la vision de Dieu	les paroles concernant Dieu	les paroles concernant la divinité	la science divine

Quand il s'agit de désaccords plus importants, plusieurs cas sont à distinguer. On ne retient pas le témoignage d'une version quand elle est seule contre les trois autres ; le plus souvent, en effet, il s'agit, de la part du traducteur, de

---

3. Mot différent de celui que l'on a au ch. 49 ; le traducteur arménien, en effet, traduit πρακτικός tantôt par զործնական, tantôt par արդիւնական : sur l'inconstance du vocabulaire chez ce traducteur, voir ci-dessus, p. 72.

simples additions, amplifications, voire gloses, fréquentes dans S_2, mais dont S_1 n'est pas exempt (cf. ci-dessus, p. 68) ; rarement de véritables variantes portant sur un mot (par ex., ch. 28, « désobéissance » dans S_3). Quand deux versions sont en désaccord avec les deux autres, il a été tenu compte, pour choisir entre les deux groupes, de cas analogues où le texte grec permettait de constater le même groupement des versions et la plus grande fidélité de deux d'entre elles ; ainsi, ch. 22, τὸ μὲν... τὸ δέ est rendu littéralement dans S_3 et *Arm.*, mais les deux termes sont explicités dans S_1 « être triste... n'être pas aimable envers ceux qui s'approchent de lui » et dans S_2 « s'il est triste... s'il ne reçoit pas facilement ceux qui l'interrogent » ; or on relève une explicitation analogue des termes ἡ προτέρα... ἡ δευτέρα, donnés par le texte grec, aux ch. 4 et 45, dans S_1 et S_2, mais leur maintien dans S_3 et *Arm.* ; aussi a-t-on gardé, au ch. 20, les expressions « la première... la deuxième... la troisième », attestées, en l'absence du texte grec, à la fois dans S_3 et *Arm.* De même, ch. 48, S_3 et *Arm.* seuls ont conservé le mot « matières » qui se lit dans le texte grec ; le même mot apparaît, ch. 4, dans le texte grec et dans S_3 et *Arm.*[4] : cette constatation a amené à maintenir, ch. 35 et 49, où le texte grec fait défaut, ce mot « matières » donné seulement par S_3 et *Arm.* :

ch. 35 :

S_1	S_3	S_2	*Arm.*
cela	une telle matière	cette hauteur de doctrine	de telles matières

ch. 49 :

S_1	S_3	S_2	*Arm.*
toutes les choses terrestres	les matières	toutes les créatures	les matières

---

4. Ici S_1 a bien un mot signifiant « matière », ܐܪܥܐ (sing.), mais S_3 l'a remplacé par le mot ܐܘܣܐ (pl.) qui est la transcription du mot grec lui-même, donc estimé plus exact.

De même, ch. 35, c'est l'accord des versions S_3 et *Arm.*, dont la valeur est ainsi éprouvée, qui a permis d'établir les termes «éthique» et «doctrines», mis en parallèle, cf. ci-dessous, p. 154.

Dans certains cas où il y a divergence entre tous les traducteurs, l'option a été faite en faveur du texte fourni par une seule version, en l'occurrence S_3, dont la valeur comme révision d'une traduction antérieure est prouvée, dans la majorité des cas, par la confrontation avec le texte grec (voir notamment le ch. 50, que cette version est la seule à avoir correctement compris et traduit, comme le montre le texte grec conservé) ; ainsi ch. 49 «vers la Cause première» (cf. ci-dessous, p. 190), ch. 14, «les vases» (cf. ci-dessous, p. 109), ch. 18 «si celle-ci est vue simplement ou si elle est vue dans l'Unité» (cf. ci-dessous, p. 117).

Parfois les discordances entre les versions peuvent être résolues, semble-t-il, par l'hypothèse d'un même mot grec diversement compris : ainsi συντέλεια au ch. 11 (cf. ci-dessous, p. 104, *Avant d'être devenu parfait*), χωρεῖν au ch. 16 (cf. ci-dessous, p. 114, *Tu embrasses toutes choses*), κηρίον au ch. 25 (cf. ci-dessous, p. 130-131, *Ces doux rayons de miel*). Enfin le choix entre les variantes fournies par les différentes versions a été parfois dicté par des rapprochements avec des textes parallèles existant dans d'autres livres d'Évagre, par ex. ch. 43, «contemplation», θεωρία, donné par S_3 est confirmé par un texte parallèle des *Scholies aux Psaumes* (cf. ci-dessous, p. 172), ch. 28, «causes», αἰτίαι, fourni par S_2, en face de S_1 «formes», S_3 «principes», *Arm.* «sortes», a été préféré, car c'est le terme que l'on trouve dans des textes parallèles de Pallade et de Maxime (cf. ci-dessous, p. 138) ; il a paru, en outre, le mieux approprié au contexte. Il faut en effet reconnaître que, dans de nombreux cas, l'argument de critique interne a, joint aux autres, joué un rôle pour l'établissement du texte, compte tenu du contexte immédiat du chapitre ou du contexte plus général de la pensée et de la terminologie évagriennes, voire du style d'Évagre, qui vise à la concision, mais que les traducteurs ont eu tendance, à des degrés divers, à délayer. On ne peut dissimuler non plus qu'en plusieurs endroits la traduction proposée reste conjecturale, surtout dans les passages, voire les chapitres, les plus difficiles, notamment le ch. 14, où les divergences entre les versions atteignent une telle ampleur que la reconstitution du texte original, en l'absence de témoins grecs, demeure aléatoire.

La traduction proposée, fondée sur l'ensemble des témoins du texte, repose, pour les chapitres dont le texte grec a disparu, sur un travail préalable de rétroversion en grec; mais nous avons renoncé à publier cette rétroversion : l'exemple malheureux de Frankenberg, dont la rétroversion n'est cependant pas sans mérite, car faite par un bon connaisseur, non seulement du grec et du syriaque, mais aussi de la langue d'Évagre, nous a invités à la prudence; nous n'avons pas voulu donner le change en mêlant au texte d'Évagre un texte grec de notre cru et risquer de voir par la suite Évagre cité dans un texte qui ne serait pas de lui. On ne trouvera donc un texte grec, critiquement établi, que pour les chapitres conservés dans la langue originale; pour les autres, seule est donnée une traduction française. Cette traduction se veut lisible, mais aussi littérale que possible; nous avons, en particulier, comme pour le *Traité pratique*, conservé le vocabulaire technique d'Évagre, au risque de donner à certains mots français un sens conventionnel (par ex. « pratique », « physique », « théologie », « science », « raisons », etc., outre le mot « gnostique » lui-même), que l'on trouvera expliqué dans le commentaire.

La division et la numérotation des chapitres, de 1 à 50, que nous avons adoptées sont, pensons-nous, conformes à celles du texte original, où le *Gnostique* se présente comme un traité autonome; ce sont celles que donnent à la fois, indépendamment l'une de l'autre, les versions S_2 et S_3; confirmation en est apportée, d'autre part, par un témoin

grec, le ms. K qui, dans une addition marginale, donne le
texte du chapitre 36 avec son numéro, correspondant
précisément à celui que porte ce chapitre dans les versions
susdites[5]. Cette numérotation diffère de celle de l'édition
de Frankenberg, qui a cours jusqu'à présent et qui
reproduit celle du manuscrit de la version S_1 utilisé par cet
éditeur : l'*Add. 14578* de la British Library, où les chapitres sont numérotés de 104 à 151, le *Gnostique* faisant suite,
dans cette version, au *TP*[6] ; cette numérotation (parfois
même la division) des chapitres varie selon les manuscrits
de S_1, car elle dépend de celle, elle-même variable, des
chapitres du *TP* ; parmi ces manuscrits, l'un d'eux
cependant offre une exception remarquable, l'*Add. 14581*,
qui donne le texte du *Gnostique* avec une numérotation
autonome et une division des chapitres conforme à celle de
S_3[7] : peut-être a-t-on dans ce manuscrit, qui se recommande par son ancienneté, la preuve que telle était aussi, à
l'origine, la disposition de ce texte dans la version S_1 elle-
même. Quant à la version arménienne, rappelons qu'elle ne
comporte ni numérotation ni même division des chapitres.

Situons, en guise de conclusion et moyennant de brefs
rappels, la présente édition du *Gnostique* par rapport aux
éditions précédentes. La première en date est celle de la
version arménienne, publiée en 1907 par Sarghisian (cf. ci-

5. Cf. ci-dessus, p. 45. La numérotation donnée par ailleurs dans
les mss JLKM est, non pas la numérotation originale, mais celle qui
est donnée par l'excerpteur (cf. ci-dessus, p. 43-46).

6. Cf. ci-dessus, p. 54. On trouvera à la fin du livre, en appendice,
une table des correspondances entre les numéros de Frankenberg et
ceux de la présente édition (p. 195).

7. Cf. ci-dessus, p. 53-54, et voir p. 57 le stemma qui fait paraître
la parenté étroite existant entre ce manuscrit et la version S_3. La
numérotation de ce manuscrit va, en réalité, de 2 à 50, le nᵒ 1 étant
donné au dernier chapitre du *TP*, mais cette erreur initiale est ensuite
corrigée par le fait que les ch. 19 et 20 sont mis sous un même
numéro.

dessus, p. 21, n. 14) ; cette édition, malgré la présence d'un
apparat, ne peut être considérée comme une édition
critique, laquelle devrait être fondée sur un inventaire et
un classement de tous les manuscrits (Sarghisian dénom-
brait déjà une quarantaine de manuscrits arméniens
d'Évagre, cf. p. 177 de son Introduction) ; nous proposons,
dans le Commentaire, un certain nombre de corrections,
parmi d'autres, à faire au texte édité[8] ; de plus, cette
édition, dépourvue de traduction, n'a guère fait connaître
le livre d'Évagre en dehors du cercle étroit des arméni-
sants. Le *Gnostique* a été connu surtout grâce à l'édition
publiée en 1912 par Frankenberg, qui a édité le texte d'une
version syriaque en l'accompagnant d'une rétroversion
grecque (cf. ci-dessus, p. 54, n. 8) : c'est à cette édition
qu'il a été fait, jusqu'à présent, référence, le texte
d'Évagre étant cité, le plus souvent, d'après la rétroversion ; celle-ci malheureusement repose sur une version,
notre version S_1, qui n'est pas rigoureusement fidèle au
texte original ; en outre, le choix du ms. *Add. 14578*, dont
elle reproduit le texte, n'a lui-même pas été heureux (à ne
prendre qu'un manuscrit, il eût mieux valu choisir l'*Add.
14581* !), car il est, et parfois lui seul, fautif sur plusieurs
points ; on trouvera dans le Commentaire un certain
nombre de corrections suggérées par la collation des autres
manuscrits[9]. La présente édition utilise, outre ces deux

---

8. Ch. 7, ci-dessous, p. 98, *L'instrument de son âme* ; ch. 13, ci-
dessous, p. 108, *Personne ne verra le Seigneur* ; ch. 20, ci-dessous,
p. 121, *En premier ... en second ... en troisième lieu* ; ch. 22, ci-dessous,
p. 124, *Ni sombre ni d'un abord difficile* ; ch. 23, ci-dessous, p. 125 ;
ch. 41, ci-dessous, p. 167, *Ou une différence ou une espèce* ; ch. 42
(apparat), ci-dessous, p. 170, *Comme n'existant pas* ; ch. 45, ci-dessous,
p. 180, *De plus* ; ch. 49, ci-dessous, p. 190, *Vers la Cause première*.
D'autres corrections seraient à faire et des lacunes à combler.
Certaines sont signalées par HAUSHERR, *Les versions*, p. 102-107.

9. Ch. 17, ci-dessous, p. 116, *Et surtout* ; ch. 24, ci-dessous, p. 127,
L'enceinte sacrée ; ch. 25, ci-dessous, p. 131, *Ces doux rayons de miel* ;

versions précédemment éditées, deux autres versions
syriaques, inédites : une seconde, dont Muyldermans avait
déjà fait connaître, en 1952, quelques chapitres (cf. ci-
dessus, p. 60, n. 30), et une troisième, qui est passée
jusqu'à présent inaperçue et qui, étant une révision de la
première, offre de meilleures garanties (cf. ci-dessus, p. 58-
60 et p. 69). Et surtout elle utilise tous les fragments grecs
identifiés à ce jour : à ceux qui étaient déjà connus, dus à
des citations d'auteurs, notamment Socrate, ou de florilèges, en sont ajoutés de nouveaux, découverts dans des
recueils d'extraits, qui font plus qu'en doubler le nombre
et procurent le texte complet de dix-sept nouveaux
chapitres et un second texte pour trois autres (cf. ci-dessus,
p. 43-46). Ainsi pouvons-nous donner un texte grec,
critiquement établi, pour trente chapitres sur cinquante.

ch. 30, ci-dessous, p. 145, *Dit-on* ; ch. 42, lacune à compléter, ci-
dessous, p. 170, *Ce qui existe* ; ch. 44, ci-dessous, p. 176, *Recevoir du
premier cultivateur les semences*. Le stemma donnant le classement des
manuscrits de la version S_1, ci-dessus, p. 57, pourrait aider éventuellement à une nouvelle édition de cette version.

TEXTE, TRADUCTION
ET
COMMENTAIRE

Sigles et abréviations
utilisés dans l'apparat critique

J	*Athous Valopedinus 57*, s. XIII-XIV.
K	*Vindobonensis theologicus graecus 274*, s. XIV.
L	*Oxoniensis Bodleianus Canonicianus graecus 16*, s. XIII-XIV.
M	*Oxoniensis Bodleianus Baroccianus 81*, s. XV.
r	*Parisinus graecus 2748*, s. XIV.
Ambr.	*Ambrosianus C 178 inf. (gr. 873)*, a. 1324.
Mosq.	*Mosquensis Bibl. Syn. 439*, s. XVI.
Exhort.	ÉVAGRE, *Exhortation aux moines*.
Hausherr	HAUSHERR, *Nouveaux fragments*.
Oecumenius	OECUMENIUS, *Commentaire sur l'Apocalypse*.
Palamas	GRÉGOIRE PALAMAS, *Défense des saints hésychastes*.
Ps.-Nilus	NIL, *Sur les huit pensées de malice*.
Socrates	SOCRATE, *Histoire ecclésiastique*, III, 7 et IV, 23.

Sigles des versions

Arm.	Version arménienne.
S_1	Version syriaque commune.
S_2	Seconde version syriaque
S_3	Troisième version syriaque, révision de S_1.

Ο ΓΝΩΣΤΙΚΟΣ

Η

ΠΡΟΣ ΤΟΝ ΚΑΤΑΞΙΩΘΕΝΤΑ ΓΝΩΣΕΩΣ

< α' >

Πρακτικοὶ λόγους νοήσουσι πρακτικούς, γνωστικοὶ δὲ
ὄψονται γνωστικά.

Titulus. Adest apud Socratem
1. Adest in Mosq.
1 post Πρακτικοὶ add. οὖν cod.

Titre. Sur ce titre, voir, ci-dessus, p. 19-20.
1. Dans le texte grec, ce 1er chapitre est placé après les
ch. 2 et 3, comme la conclusion d'un syllogisme, d'où
l'addition de οὖν : «Donc les pratiques...» En réalité il
s'agit d'un pseudo-syllogisme et surtout le témoignage
unanime des versions s'oppose à un tel regroupement et
oblige à mettre en tête ce chapitre, qui fait transition entre
le *Traité pratique* et le *Gnostique*, cf. Introd., p. 47.
Les pratiques : Frankenberg et la plupart des manuscrits
de S_I (sauf BL *Add. 14581*) ont «Les gnostiques et les pratiques» («et» est omis dans BL *Add. 14579*, *18817* et *12167*),
le terme «les gnostiques» (mis au pluriel pour l'accord)

LE GNOSTIQUE

OU

A CELUI QUI EST DEVENU DIGNE DE LA SCIENCE

1

Les pratiques comprendront les raisons pratiques, mais les choses gnostiques, les gnostiques les verront.

provenant probablement du titre (cf. Introd., p. 20-21); S_2, S_3 et *Arm.* sont en accord avec le texte grec.

Les raisons pratiques... les choses gnostiques : *Arm.* inverse les termes.

Les choses gnostiques, les gnostiques les verront : toutes les versions ont cette disposition en chiasme, ce qui peut inviter à corriger le texte grec ainsi : γνωστικὰ δὲ ὄψονται γνωστικοί.

L'opposition et la distinction entre les pratiques et les gnostiques est fréquente chez Évagre, par exemple *KG* V, 65 : «Le pratique est l'artisan de la séparation, le gnostique l'auxiliaire de la sagesse», *Skemmata* 32-33 : «Le gnostique est un salarié à la journée; le pratique est un salarié qui attend son salaire» (cf. *ibid.* 38-39), *Moines* 121 : «Le gnostique et le pratique se sont rencontrés : au milieu d'eux se tient le Seigneur» (paraphrase de *Prov.* 22, 2).

Comprendront... verront : la pointe du chapitre est dans l'opposition entre ces deux verbes. Le gnostique est essentiellement un voyant, un contemplatif, θεωρητικός,

< β' >

Πρακτικὸς μέν ἐστιν ὁ τὸ παθητικὸν μέρος τῆς ψυχῆς μόνον ἀπαθὲς κεκτημένος.

< γ' >

Γνωστικὸς δὲ ὁ ἁλὸς μὲν λόγον ἐπέχων τοῖς ἀκαθάρτοις, φωτὸς δὲ τοῖς καθαροῖς[a].

---

2. Adest in Mosq.

3. Adest in Mosq.

---

terme qui souvent chez Évagre est opposé à πρακτικός. Comparer *Skemmata* 20 : «Quand l'intellect est dans la pratique, il est dans les concepts (ἐν τοῖς νοήμασιν) de ce monde ; mais quand il est dans la science (ἐν γνώσει), il vit dans la contemplation (ἐν θεωρίᾳ)».

Les raisons pratiques : «raisons» est une traduction conventionnelle du terme *logoi* ; pour le sens de ce terme technique, fréquent chez Évagre, voir Introd., p. 29. Comparer l'expression «les raisons de la pratique», *in Ps.* 118, 159 (Pitra, III, p. 308) et *in Ps.* 126, 2 (*PG* 12, 1644 B).

2. *Seulement* : μόνον, bien qu'absent de toutes les versions, doit être maintenu, car il exprime une nuance importante : la pratique vise seulement à acquérir l'impassibilité, que l'entrée dans la vie gnostique suppose acquise (voir Introd., p. 24). L'activité du pratique s'exerce donc seulement sur lui-même, tandis que celle du gnostique s'exercera à l'égard des autres, comme le montre le chapitre suivant.

2

Le pratique, c'est celui qui a seulement acquis l'impassibilité de la partie passionnée de son âme.

3

Le gnostique, c'est celui qui joue le rôle du sel pour les impurs et de la lumière pour les purs[a].

a. Cf. Matth. 5, 13-14

Avec cette définition du pratique, comparer celle de la pratique dans *TP* 78 : «La pratique est la méthode spirituelle qui purifie la partie passionnée de l'âme». Pour le sens technique des termes πρακτικός, πρακτική, rendus conventionnellement en français par «pratique», voir l'Introduction au *Traité pratique*, p. 38-63, et pour l'expression «la partie passionnée de l'âme», voir *ibid.*, p. 105. Le pratique est normalement celui qui s'exerce dans la pratique, mais c'est aussi chez Évagre, spécialement ici, celui qui est parvenu au terme de la pratique, c'est-à-dire à l'impassibilité, du moins à la «petite impassibilité» (voir Introd., p. 26-27).

3. La parole que Jésus adresse à ses disciples : «Vous êtes le sel de la terre... Vous êtes la lumière du monde», était, selon Irénée (*Adv. Haer.* I, vi, 1, éd. Rousseau-Doutreleau, *SC* 264, p. 90-91), appliquée par les gnostiques valentiniens aux «pneumatiques»; de même par Clément d'Alexandrie aux «élus», les gnostiques, distincts des simples fidèles (*Quis dives* 36, éd. Stählin, *GCS* 17, p. 183). Évagre est, semble-t-il, le premier à distinguer, chez le gnostique, entre le rôle du sel et celui de la lumière.

< δ′ >

Ἡ μὲν ἔξωθεν ἡμῖν συμβαίνουσα γνῶσις, διὰ τῶν λόγων
ὑποδεικνύειν πειρᾶται τὰς ὕλας· ἡ δὲ ἐκ Θεοῦ χάριτος
ἐγγινομένη, αὐτοψεὶ τῇ διανοίᾳ παρίστησι τὰ πράγματα, πρὸς
ἃ βλέπων ὁ νοῦς, τοὺς αὐτῶν λόγους προσίεται· ἀντίκειται δὲ
5 τῇ μὲν προτέρᾳ < ἡ πλάνη · τῇ δὲ δευτέρᾳ > ὀργὴ καὶ θυμός ·
< καὶ τὰ τούτοις παρακολουθοῦντα > .

---

4. Adest in JLKM

1 τῶν λόγων : τὸν λόγον K ‖ 3 αὐτοψεὶ : αὐτοψὶ J ‖ 5 ἡ πλάνη · τῇ δὲ
δευτέρᾳ e versionibus restituimus : om. JLKM ‖ 6 post θυμός add. τῇ δὲ
δευτέρᾳ L² τῇ δὲ δευτέρᾳ κενοδοξίᾳ καὶ ὑπερηφανίᾳ M ‖ καὶ τὰ τούτοις
παρακολουθοῦντα e versionibus restituimus : om. JLKM

Le symbole de la lumière, appliqué au gnostique, est
fréquent chez Évagre ; voir, par exemple, *KG* V, 15 :
« L'intellect qui s'est dépouillé des passions devient tout
entier comme la lumière, parce qu'il est éclairé par la
contemplation des êtres » (cf. CLÉMENT D'ALEXANDRIE :
« Le gnostique veut être tout entier lumière », *Str.* VII, xii,
79, 5, éd. Stählin, *GCS* 17, p. 56, 29), *in Ps.* 89, 17 : « La
science de Dieu est lumière (λαμπρότης, qui est le mot du
psaume) et ceux qui y participent sont appelés lumières »
(*PG* 12, 1552 A). Le gnostique sera essentiellement un
enseignant, un guide : il enseignera aux uns la pratique,
comment se purifier des passions, aux autres, ceux qui ont
acquis la pureté requise, les doctrines de la gnose. C'est là
tout l'objet du livre (cf. Introd., p. 26).

4. Comme en témoignent toutes les versions, le texte
grec comporte à la fin du chapitre deux lacunes. La
première, survenue par suite d'homoiotéleuton, a été
perçue par un lecteur de L et par le copiste de M, qui a
cherché à la combler au moyen de termes évagriens (« vaine

4

La science qui nous arrive de l'extérieur s'efforce de faire connaître les matières par l'intermédiaire des raisons; mais celle qui vient en nous de la grâce de Dieu présente directement les objets à l'esprit, et, en les regardant, l'intellect accueille leurs raisons. A la première s'oppose < l'erreur, à la seconde > la colère et l'irascibilité < et ce qui les suit >.

gloire et orgueil»), mais inadaptés ici. Le texte de la seconde est restitué d'après les versions S_1, S_3 et *Arm.* et à l'aide d'un terme familier à Évagre (par ex. *TP* 11, 9; 14, 5); on pourrait aussi penser, suivant S_2, «ce qui naît d'elles», à καὶ τὰ ἐκ τούτων γεννώμενα (cf. texte de *Pensées*, cité ci-après).

La science qui nous arrive de l'extérieur, expression assez fréquente chez Évagre pour désigner la science profane, cf. ἐκ τῆς ἔξωθεν σοφίας, *in Ps.* 118, 85 (*PG* 12, 1604 A), *Lettre sur la Trinité* (2, 6, éd. Courtonne, p. 23), cf. ATHANASE, *Vie d'Antoine* 93 (*PG* 26, 973 B).

Raisons : pour le sens de ce terme technique, voir Introd., p. 29.

La colère et l'irascibilité : la colère est, pour Évagre, le principal obstacle à la contemplation, voir le chapitre suivant, avec les notes.

Et ce qui les suit, formule explicitée dans *Pensées*, Muyldermans, p. 53, 24-26 : «... Qu'il maîtrise son irascibilité et se mette en garde contre les pensées qui naissent d'elle (τοὺς ἐκ τούτου γεννωμένους), à savoir celles qui surviennent sous l'effet du soupçon, de la haine et du ressentiment et qui, plus que tout, aveuglent l'intellect».

L'opposition entre la science profane et la contemplation spirituelle qui vient de Dieu apparaît ailleurs chez Évagre, voir, par exemple, *Prière* 63, *KG* IV, 90, VI, 22 et *Lettres* 62 (Frankenberg, p. 610); on la retrouvera ci-dessous, au ch. 45.

< ε' >

Πᾶσαι τῷ γνωστικῷ ὁδοποιοῦσιν αἱ ἀρεταί · ὑπὲρ δὲ πάσας ἡ ἀοργησία. Ὁ γὰρ γνώσεως ἐφαψάμενος καὶ πρὸς ὀργὴν ῥᾳδίως κινούμενος, ὅμοιός ἐστι τῷ σιδηρᾷ περόνῃ τοὺς ἑαυτοῦ ὀφθαλμοὺς κατανύττοντι.

---

5. Adest in JLKM

1 ὁδοποιοῦσιν : ὁδοιπορoῦσιν KM ‖ 3 περόνῃ : περώνῃ JL ‖ 3-4 τοὺς ἑαυτοῦ ὀφθαλμοὺς : τοὺς ὀφθαλμοὺς αὐτοῦ J

---

5. Ici commence une série de sept chapitres sur les vertus auxquelles doit s'attacher le gnostique. Évagre insiste particulièrement sur les dangers que présente la colère pour le gnostique (cf. Introd., p. 27-28).

La maîtrise de la colère, ἀοργησία (litt. la non-colère), vocable d'origine aristotélicienne et stoïcienne, présent dans la *Vie d'Antoine* (17, *PG* 26, 869 B). Cette vertu, pour Évagre, s'identifie à la douceur (πραΰτης), définie comme «ataraxie de la partie irascible» (*in Ps.* 131, 1, *PG* 12, 1649 C) et proche elle-même de la charité (cf. *TP* 38 et la note *ad loc.*), vertu par excellence du gnostique. Dans sa lettre 27, Évagre dit de la douceur qu'elle est «la mère de la science» (Frankenberg, p. 582, 31-32).

Qui se crève les yeux avec une pointe de fer : même comparaison dans *Pensées* (Muyldermans, p. 54, 4-5) : les moines qui se laissent aller à la colère sont comme celui qui

5

Toutes les vertus fraient la route au gnostique, mais plus que toutes la maîtrise de la colère. Celui, en effet, qui a touché à la science et qui se laisse aller facilement à la colère est semblable à quelqu'un qui se crève les yeux avec une pointe de fer.

«s'est crevé les yeux avec une pointe» (περόνη τοὺς ὀφθαλμοὺς ἔνυσσεν, cf. expression analogue, avec le même verbe, dans *Moines* 109). Comparaison analogue dans *Prière* 64 : «Celui qui se met en colère ... est semblable à celui qui veut avoir une vue perçante et qui se brouille les yeux». Que la colère aveugle l'intellect et fait obstacle à la contemplation est une idée fréquemment exprimée par Évagre, cf. *KG* IV, 38 ; V, 27 ; VI, 63 ; *Huit esprits* 9 ; *in Ps.* 6, 8 (*PG* 12, 1176 C); 30, 10 (*ibid.* 1301 A), etc. En conséquence, la colère rend le gnostique inapte à l'enseignement, cf. ci-dessous, ch. 10.

Le gnostique est particulièrement exposé à la colère dans son activité d'enseignement : «Ne te laisse pas emporter par la colère contre un disciple qui a failli, car il n'est pas bon de te blesser toi-même avant de guérir quelqu'un d'autre ; mais patiemment ramène-le vers le bien. Et en effet le médecin, certes, soigne la maladie, mais il ne s'irrite pas contre celui qui est tombé malade involontairement. Quand le médecin incise, il fait cela sans colère : que le maître qui réprimande ne mêle pas d'irritation à sa réprimande» (*Maîtres et disciples*, p. 78, 30-35).

< ς' >

Ἀσφαλιζέσθω δὲ ἐν ταῖς συγκαταϐάσεσιν ὁ γνωστικός,
μήποτε λάθη αὐτὸν ἕξις γινομένη ἡ συγκατάϐασις, καὶ
πειράσθω πάσας ἐπίσης ἀεὶ τὰς ἀρετὰς κατορθοῦν, ἵνα
ἀντακολουθῶσιν ἀλλήλαις καὶ ἐν αὐτῷ, διὰ τὸ πεφυκέναι τὸν
5 νοῦν ὑπὸ τῆς ἐλαττουμένης προδίδοσθαι.

---

6. Adest in Mosq.

1 ἐν om. Hausherr ‖ 2 αὐτὸν : αὐτῷ cod.

---

6. Si le gnostique ne doit pas se laisser emporter par la
colère, il ne doit pas non plus (opposition marquée par δέ)
se laisser aller à une indulgence excessive.

Condescendance, συγκατάϐασις. Le mot désigne d'ordinaire la condescendance de Dieu à l'égard des hommes ; ici il
s'agit de la condescendance, de l'indulgence (cf. *Arm.* « le
fait de pardonner et le fait de condescendre »), du gnostique
à l'égard de ceux dont il a la charge. La condescendance
est normalement recommandée au maître, cf. *Apophthegmata Patrum*, Antoine 13 : apologue de l'arc tendu dont la
leçon est : « Il faut donc, de temps en temps, être
condescendant (συγκαταϐαίνειν) pour les frères » (*PG* 65,
79 A ; sur la condescendance à l'égard des frères, voir aussi
Joseph de Panepho, 1, *ibid.* 228 B, et Serinos, 1, *ibid.*
417 B). Mais Évagre ne veut pas qu'elle devienne une
habitude. Il semble qu'il y ait ici une réminiscence de
CLÉMENT D'ALEXANDRIE, *Stromates* VII, XII, 80, 8 : « Il
faut que ... le gnostique soit ferme dans la complaisance,
de peur que, à son insu, la complaisance ne devienne une
habitude », ἀσφαλὴς δὲ ἐν συμπεριφορᾷ ὁ γνωστικὸς μὴ λάθη ἡ
συμπεριφορὰ διάθεσις γενομένη (éd. Stählin. *GCS* 17, p. 57, 28-
29). Pour l'équivalence, chez Clément, entre συμπεριφορά et
συγκατάϐασις, voir *Stromates* VII, IX, 53, 3-4 : « Celui donc

6

Que le gnostique reste ferme quand il use de condescen-
dance, de peur que, à son insu, la condescendance ne
devienne pour lui une habitude; et qu'il s'efforce de
pratiquer également et constamment toutes les vertus pour
que, en lui aussi, elles se suivent les unes les autres, car
l'intellect est naturellement trahi par celle qui faiblit.

qui, à cause du salut du prochain, se montre condescendant (συγκαταβαίνων) jusqu'à la complaisance (μέχρι τῆς
συμπεριφορᾶς)...» (*ibid.*, p. 39, 22-23), à propos de la
circoncision de Timothée par Paul, exemple de condescendance (cf. ci-dessous, note au ch. 23). S_1, suivi par S_3,
semble avoir compris qu'il s'agit de la condescendance à
l'égard de soi-même : «Le gnostique veillera sur sa
condescendance pour ne pas s'égarer et se plonger en lui-
même et il s'appliquera...» (curieusement compris par
Frankenberg : «Que le gnostique veille, quand il descend
dans la palestre, à ne pas s'égarer en s'empressant de
réaliser...», et par Hausherr : «Que le gnostique prenne
garde, en s'embarquant, à ne pas s'égarer et faire
naufrage...», *Traité de l'oraison*, p. 13); en outre, la
construction de λανθάνω suivi d'un participe a été mal
comprise.

Pratiquer ... toutes les vertus : pour κατορθοῦν, litt. «mener
à bien», vocable stoïcien, voir la note à *TP* 14.

Se suivent les unes les autres, ἀντακολουθῶσιν : sur
l'utilisation que fait Évagre du thème stoïcien de
l'enchaînement (ἀκολουθία) des vertus, voir *SC* 170, p. 53-
55.

En lui aussi : l'expression manque dans S_1 et S_3, mais
figure dans *Arm.* comme dans le grec (S_2 a seulement «en
lui»). Le gnostique doit veiller à maintenir la chaîne des
vertus en lui comme chez ses disciples; une condescendance excessive la romprait.

< ζ′ >

---

7. Deest graece

L'intellect... *trahi par celle qui faiblit* : comparer
Prière 1 : «C'est la tétrade des vertus : si elles se trouvent
en plénitude et à égalité, l'intellect ne sera pas trahi
(προδοθήσεται)». Ce rapprochement est fait par
I. HAUSHERR, *loc. cit.*, et déjà *Les versions*, p. 108, où sont
discutés le texte de S_1 et la rétroversion de Frankenberg.

7. Le texte grec manquant, la traduction proposée est, à
quelques nuances près, celle des versions, à l'exception de
S_2 qui, à son habitude, traduit plus librement.

L'instrument de son âme, c'est-à-dire son corps : expression d'origine aristotélicienne souvent employée par Évagre, cf. *KG* I, 67 ; II, 80 ; VI, 72 ; *Pensées* 4 (1204 D) ; rec.
1. Muyldermans, p. 49, 3. Évagre veut dire, comme glose
S_2, qu'il travaillera de ses mains. Dans *Arm.* sans doute
faut-il corriger զործծ, «l'activité», en զործժ, «l'instrument» de son âme.

De toutes façons, probablement πάντως, mal rendu ou mal
lu par les versions : *Arm.* «en tout», S_1 «tout», S_3 «tous» ;
non traduit par S_2.

Faire l'aumône : S_1 ajoute «même sans argent». Probablement, comme plus haut, grec ἐλεημοσύνη ou ἔλεος, ce mot
désignant non seulement l'aumône faite au pauvre, mais
tout service rendu au prochain (par ex. le service des
malades, cf. *TP* 91). Ici il s'agit de la charité que le
gnostique exercera en enseignant.

Les cinq vierges. Comparer *Vierge* 43 : «De la vierge sans
miséricorde la lampe s'éteindra et elle ne verra pas son
époux s'avancer», et 17 : «Ne te détourne pas du pauvre à

7

Le gnostique s'exercera toujours à faire l'aumône et sera prêt à être bienfaisant. Et, s'il manque d'argent, il mettra en branle l'instrument de son âme. Car, de toutes façons, il est de sa nature de faire l'aumône, ce dont ont manqué les cinq vierges dont les lampes se sont éteintes[b].

b. Cf. Matth. 25, 1-13

l'heure de l'affliction et l'huile ne manquera pas dans ta lampe». Comme l'indiquent ces textes et comme l'a explicité ici S_2 («il réalisera la belle chose qui symboliquement est appelée huile»), la miséricorde a pour symbole l'huile (symbolisme, qui prend appui sur le jeu de mots courant ἔλεος/ἔλαιον, cf. CLÉMENT D'ALEXANDRIE, *Pédagogue* II, 62, 3, éd. Mondésert-Marrou, *SC* 108, p. 126). De même que l'huile entretient la lumière de la lampe, de même la miséricorde nourrit la science, symbolisée par la lumière, cf. *KG* IV, 25 : «...La lumière qui brille dans les temples saints est le symbole de la science spirituelle, laquelle est alimentée par l'huile du saint amour». Voir aussi la lettre 27, où Évagre dit de l'abstinent qui manque de charité qu'«il est semblable à cette vierge insensée qui fut exclue de la chambre nuptiale, parce que, l'huile lui manquant, sa lampe s'éteignit. J'appelle lampe l'intellect qui a été créé pour recevoir la lumière bienheureuse, mais qui, à cause de sa dureté, est déchu de la science de Dieu ; là, en effet, où l'huile manque, la colère domine» (Frankenberg, p. 584). Sur le lien entre absence de colère, ou douceur, et charité, voir ci-dessus, note au ch. 5, et sur le lien entre charité et science, Introd., p. 28. Par une sorte d'hypallage, l'huile en vient à symboliser la science elle-même, spécialement la science essentielle, celle dont le Christ est «oint», cf. *KG* IV, 21 et *in Ps.* 88, 21 (*PG* 12, 1549 A).

< η' >

Αἰσχρὸν γνωστικῷ τὸ δικάζεσθαι καὶ ἀδικουμένῳ καὶ ἀδικοῦντι · ἀδικουμένῳ μὲν ὅτι οὐχ ὑπέμεινεν, ἀδικοῦντι δὲ ὅτι ἠδίκησε.

< θ' >

Ἡ γνῶσις συντηρουμένη διδάσκει τὸν μετέχοντα αὐτῆς ὅπως ἂν διαφυλαχθῇ καὶ ἐπὶ μείζονα προέλθοι.

8. Adest in JLKMr

1 γνωστικῷ : μοναχῷ r ‖ τὸ om. r ‖ 1-2 καὶ ἀδικουμένῳ καὶ ἀδικοῦντι : ὅλως r

9. Adest in Exhort.

1 post γνῶσις add. τοῦ θεοῦ Exhort.

8. Mise en garde contre les procès : voir aussi lettres 33 et 60, où Évagre blâme ceux qui se laissent entraîner dans des procès par amour du gain. Mais ici il s'agit plus spécialement du gnostique, comme dans *Pensées* rec. 1. Muyldermans, p. 53-54 : Évagre critique ceux qui, ayant pratiqué le renoncement et désirant parvenir à la science, «se battent souvent à coup de procès avec leurs proches pour de l'argent et des biens afin de les distribuer aux pauvres»; en agissant ainsi, «ils font flamber leur irascibilité par de l'argent pour ensuite s'appliquer à l'éteindre avec de l'argent», c'est-à-dire en faisant l'aumône, et sont semblables, dit-il, à «quelqu'un qui se crève les yeux avec une pointe pour y mettre un collyre». Ce texte permet peut-être d'établir un lien entre ce chapitre et le précédent. Basile, dans ses *Grandes Règles*,

8

Il est honteux pour le gnostique d'être en procès, qu'il soit victime ou auteur d'une injustice : s'il en est victime, parce qu'il ne l'a pas supportée, s'il en est l'auteur, parce qu'il a commis une injustice.

9

La science, quand elle est conservée, enseigne à celui qui l'a en partage comment elle sera sauvegardée et ira grandissant.

9, 2, déconseillait de même de faire des procès à ceux qui, parmi nos parents selon la chair, veulent nous léser (*PG* 31, 941 D). Les papyrus fournissent de nombreux exemples de procès dans les milieux monastiques.

Comparer CLÉMENT D'ALEXANDRIE, *Stromates* VII, XIV, 84, 5 : Saint Paul (cf. *I Cor.* 6, 1-8) non seulement prescrit au gnostique de subir l'injustice (ἀδικεῖσθαι) plutôt que de la commettre (ἀδικεῖν), mais aussi il lui enseigne l'oubli des injures (éd. Stählin, *GCS* 17, p. 60, 20-22).

9. Le texte ci-dessus proposé est fourni par le passage parallèle de l'*Exhortation aux moines* (cf. Introd., p. 51) dont le texte a été collationné sur deux manuscrits de l'Athos, *Lavra Γ 40*, fol. 84ᵛ, et *Γ 93*, fol. 306ʳ, lequel offre la seule variante digne d'être relevée, διαφυλαχθείη. Mais il est établi compte tenu des versions, dont le témoignage unanime oblige à omettre τοῦ θεοῦ.

Quand elle est conservée, c'est-à-dire quand le gnostique ne la perd pas en cédant aux passions, en particulier à la colère : trait qui assure le lien avec les chapitres précédents. S_1, suivi par Frankenberg, ne fait qu'un chapitre de celui-ci et du précédent. De même, semble-t-il, *Arm.* : « Car la science ... ».

< ι′ >

---

10. Deest graece

Comment elle sera sauvegardée et ira grandissant : telle est l'interprétation, ici retenue, de S_1 et S_2; S_3 a interprété autrement : «La science qui est gardée enseigne à celui qui la possède comment il sera gardé et il progressera»; *Arm.* est équivoque comme le grec : «... comment elle-même (ou «lui-même») sera gardé(e) avec précaution et vers plus de grandeur sera illuminé(e)».

Le contexte de l'*Exhortation* paraît appuyer l'interprétation de S_1 S_2, ici retenue : «De même que le médecin a l'idée du remède pour la guérison d'une maladie, de même la science de Dieu...». La comparaison est fondée sur la définition de l'impassibilité, condition de la science, comme santé de l'âme (cf. *TP* 56 et la note *ad loc.*).

De ce chapitre rapprocher, ci-dessous, ch. 33 (et lettre 47 qui y est citée en note); *KG* II, 81 : «La science, d'une part, a engendré la science et, d'autre part, elle engendre le gnostique constamment».

10. Les versions anciennes sont discordantes. La traduction proposée suppose que le chapitre commençait par εἴθε, ou εἰ, suivi de l'optatif, qui a été mal et diversement compris par les traducteurs :

Arm., S_2 et S_3 l'ont compris comme un εἰ introduisant une proposition conditionnelle, ce qui a amené, d'une part, *Arm.* à rattacher syntaxiquement ce chapitre au précédent : «... surtout si, au moment où il explique, le gnostique se trouve pur et exempt de colère, de rancune et de tristesse, de souffrances en lui-même et de soucis de l'esprit». D'autre part, S_2 et S_3 ont complété le chapitre en ajoutant une proposition principale, S_2 : «Si, au moment

10

*Puisse le gnostique, au moment où il enseigne, être
exempt de colère, de rancune, de tristesse, de souffrances
corporelles et de soucis!*

de l'enseignement, le gnostique est exempt de colère, de
rancune, de tristesse, de souci et de souffrance du corps, il
guidera et enseignera sûrement»; *S₃* : «Si le gnostique est
exempt, au temps de l'explication, de colère, de rancune,
de tristesse, de la maladie du corps et du souci, il
expliquera».

S₁ a compris εἴθε, ou εἰ, comme une conjonction
introduisant une proposition interrogative indirecte, ce qui
l'amène à suppléer un verbe principal au début du
chapitre : «Le gnostique considérera si, au moment où il
explique, il est exempt de colère, de rancune et de
tristesse, des passions du corps et du souci».

Le tour adopté par *S₁* se retrouve dans un passage
parallèle fourni par *Disciples d'Évagre*, ch. 6 : «Que le
gnostique s'examine pour savoir s'il lui est possible, en
pensée, d'abord de ne rien faire ni dire de honteux,
deuxièmement de ne pas avoir de rancune à l'égard de qui
l'a lésé ou attristé, troisièmement de ne pas avoir de
rancune à l'égard de qui a mal parlé de nous *(sic)* et
quatrièmement s'il prie sans concepts ni représentations».

Autre parallèle dans *Exhortation aux moines*, rec. 1.,
Muyldermans p. 202, ch. 23 : «De même qu'une source, se
purifiant des éléments matériels qui l'entourent, répand
une eau limpide, de même l'intellect qui se purifie de la
colère, de la rancune et des soucis concernant le corps
(καθαιρόμενος ἀπὸ ὀργῆς καὶ μνησικακίας καὶ φροντίδος σωμα-
τικῆς) trouve la science pure ...». Ce texte parallèle permet
de restituer partiellement le vocabulaire de l'original grec
du présent chapitre.

Colère, rancune, tristesse : sur le lien établi par Évagre
entre ces trois passions, voir *TP* 11 et 23.

< ια' >

---

11. Deest graece

Souffrances corporelles : probablement ὀδύναι plutôt que
πάθη, que pourrait suggérer S_1.

Soucis : les préoccupations concernant les besoins corporels (cf. texte cité de *Exhortation*), en particulier le
vêtement et la nourriture, sur quoi Évagre insiste dans
Bases 3-4 (1253 C - 1255 C) et dans *Pensées* 5-6 (1205 C -
1208 C), où il montre que ces soucis sont cause de colère.
Voir ci-dessous, ch. 38.

Sur l'incompatibilité entre colère et science, voir, ci-
dessus, ch. 4 et 5. Ici Évagre envisage, de façon plus
concrète, le gnostique dans son enseignement, ce qui sera
l'objet des chapitres suivants.

11. *Avant d'être devenu parfait* : traduction fondée sur S_1
« jusqu'à ce que nous soyons plongés dans le bien » et sur S_3
« avant la vertu parfaite ». *Arm.* est différent : « avant
d'enseigner », litt. « avant l'exposé », щшиппьթիւն (même
mot que dans le chapitre précédent). S_2 semble avoir
compris de même : « avant la transmission »,
ܪܚܐܠܡܢܘܬܐ ; on peut obtenir le sens de S_1 et S_3 en
vocalisant autrement ce mot et en lisant m^e*šalmānūtā*,
« perfection » (au lieu de *mašl^{e}mānūtā*), forme qui paraît
cependant peu attestée. Selon cette seconde interprétation,
Arm. et très probablement S_2, le chapitre concerne les
dispositions où doit être le gnostique au moment où il va
enseigner. Cette double interprétation s'explique peut-être
par un substrat grec συντέλεια, pris, dans le premier cas, au

11

*Évite, avant d'être devenu parfait, de rencontrer beau-
coup de gens, et d'en fréquenter beaucoup, de peur que ton
intellect ne soit rempli d'imaginations.*

sens de «achèvement», d'où «perfection», et, dans le
second cas, au sens de «contribution», le mot pouvant
désigner métaphoriquement l'enseignement dont s'acquit-
te le gnostique (cf. ἡ παρὰ τοῦ διδασκάλου συντέλεια,
«instruction», chez Aristide, cité dans LIDDEL-SCOTT, *s.v.*).
Selon l'interprétation retenue, ce chapitre concerne,
comme les précédents (spécialement 5-8), la conduite
générale du gnostique : pour celui-ci reste valable un
conseil donné ailleurs par Évagre à ceux qui s'exercent
encore dans la vie pratique.

Rencontrer beaucoup de gens : probablement συντυχίαι
πολλῶν, cf. *Exhortation*, rec. 1., Muyldermans, p. 201,
ch. 4 : «Les rencontres de beaucoup de gens (συντυχίαι
πολλῶν) troublent l'état tranquille»; même expression dans
Lettres 25, texte grec : «L'intellect... est ravagé par des
rencontres nombreuses (ὑπὸ συντυχιῶν πολλῶν); voir aussi
Bases 5, 1257 A, et 7, 1257 D : «Si tu as des amis, fuis les
rencontres (συντυχίας) fréquentes avec eux».

Fréquenter : probablement συνήθεια; comme le suggèrent
toutes les versions, «habitude», «relation habituelle».

Rempli d'imaginations : comparer *Vierge* 6 : «Évite les
rencontres (συντυχίαι) avec les hommes, de peur qu'il n'y ait
des images (εἴδωλα) dans ton âme et qu'elles ne soient un
obstacle pour toi au moment de la prière». S_2 semble s'être
souvenu de ce texte quand il traduit et glose : «de peur que
notre intellect ne soit rempli de leurs images et ne soit
privé (litt. «obscurci», cf. *Prière* 21) de la prière». Le texte
grec du chapitre pouvait avoir, de même, εἴδωλα (cf. *TP* 23
et autres textes cités en note *ad loc.*), mais tout aussi bien
φαντασίαι (cf. *TP* 46, 48, 54, etc.).

< ιβ′ >

< ιγ′ >

Δίκαιον τοῖς μοναχοῖς καὶ τοῖς κοσμικοῖς περὶ πολιτείας
ὀρθῆς διαλέγεσθαι καὶ ὅσα τῆς φυσικῆς ἢ θεολογικῆς δόγματα
σαφηνίζειν ἐκ μέρους, ὧν χωρὶς οὐδεὶς ὄψεται τὸν Κύριον[c].

---

12. Deest graece
13. Adest in JLKM

---

12. Les versions sont d'accord entre elles, sauf glose de
S_2 (cf. ci-dessous).
Ce chapitre est le premier de ceux qui prescrivent les
précautions que doit prendre le gnostique dans son enseignement : tout n'est pas bon à dire (cf. Introd., p. 30-33).
Pratique, physique, théologie : πρακτική, φυσική, θεολογική,
les trois étapes de la vie spirituelle selon Évagre, cf. *TP* 1
et la note *ad loc.*, et ci-dessus, Introd. p. 30. Ce qui les
concerne constitue tout l'enseignement du gnostique.
Dire et faire jusqu'à la mort : λέγειν καὶ πράττειν, cf. *TP*
70, 3. Le gnostique ne doit pas cesser de pratiquer ce qu'il
enseigne à tous : voir *TP* 68 et 70 et les notes afférentes.
Ce qui est indifférent : τὰ μέσα (ce que suggèrent les
versions) ou τὰ ἀδιάφορα, c'est-à-dire, comme glose S_2, celles
« en lesquelles il n'y a ni profit ni perte », glose qui reprend
la définition stoïcienne des choses dites ἀδιάφορα, « celles qui
ne sont ni utiles ni nuisibles », DIOGÈNE LAËRCE, VII
(Zénon), 102-103. Le gnostique doit adapter son enseignement à son auditoire, cf. Introd., p. 30 et le chapitre
suivant.

12

Ce qui, parmi les choses qui relèvent de la pratique, de la physique ou de la théologie, est utile à notre salut, cela il convient de le dire et de le faire jusqu'à la mort. Mais ce qui, parmi elles, est indifférent, il ne faut ni le dire ni le faire, à cause de ceux qui se scandalisent facilement.

13

Il convient de parler aux moines et aux séculiers de la conduite droite et de leur expliquer partiellement celles des doctrines concernant la physique et la théologie « sans lesquelles personne ne verra le Seigneur[c]* ».*

c. Hébr. 12, 14

13. *Aux moines :* S_1 S_3 et *Arm.* ont traduit le mot μοναχοῖς par « jeunes gens » et, d'une façon plus précise, S_2 par « ceux qui sont nouvellement instruits », traduction exacte, car le mot désigne ici, non pas le moine d'une façon générale, mais celui qui en est encore à s'exercer dans la pratique et qui n'est pas encore devenu un gnostique ; pour μοναχός opposé à γνωστικός, donc synonyme de πρακτικός, voir *TP* 74-75 et les notes afférentes. Le sens particulier que prend parfois ce mot sous la plume d'Évagre apparaît dans le titre même du *TP*, intitulé aussi, par Évagre lui-même, « Le Moine » (voir Introd. au *Traité pratique*, p. 402-403). Le même couple de termes (mais en ordre inversé, comme l'a fait ici S_2) se retrouve au ch. 36, où à μοναχοί correspond νέους, ce qui manifeste l'équivalence des deux termes.

Aux séculiers : le texte de S_1 (Frankenberg et tous les manuscrits) porte « aux adolescents », faute due à la

< ιδ′ >

14. Deest graece

confusion fréquente des deux mots syriaques ܥܠܝܡ̈ܐ,
«adolescents», et ܥܠܡ̈ܝܐ, «séculiers» (faute relevée déjà
par HAUSHERR, *Les versions*, p. 101).

La conduite droite, c'est-à-dire la pratique. Même
expression dans *in Ps.* 76, 21 (Pitra, III, p. 109). Pour le
schéma pratique, physique, théologie, voir la note au
chapitre précédent et Introd., p. 30).

Personne ne verra le Seigneur : le choix de cette citation
s'explique par le fait que, pour Évagre, la physique, ou
contemplation des natures créées, et la théologie conduisent à la vision de Dieu. Au lieu du mot «Seigneur» le texte
arménien édité a curieusement «guerre»; la correction
proposée par HAUSHERR (*ibid.*, p. 102) est, pour l'essentiel,
confirmée par les deux manuscrits d'Erivan, qui ont
correctement «le Seigneur».

Ce chapitre est en étroit rapport avec le ch. 36.

14. Ce chapitre, particulièrement difficile, l'a été déjà
pour les traducteurs anciens, comme le prouvent les
désaccords existant entre leurs versions; en conséquence,
en l'absence de l'original grec, il est impossible d'en donner
une traduction et une interprétation qui soient pleinement
assurées. La traduction ici proposée suit, pour l'essentiel,
S_3.

Aux prêtres seuls ... les meilleurs : le gnostique, qui doit
adapter son enseignement à chacun, réservera aux prêtres,
et encore aux meilleurs d'entre eux, l'explication du sens le
plus profond des rites qu'ils accomplissent; «ceux qui
parmi eux sont les «meilleurs», peut-être χρηστότατοι,
comme le suggèrent S_2 ܓܒ̈ܝܐ, «les élus», «l'élite», et S_3

14

Aux prêtres seuls, à ceux qui parmi eux sont les meilleurs, réponds, s'ils l'interrogent, sur ce que symbolisent les mystères qui sont accomplis par eux et qui purifient l'homme intérieur, les vases qui les reçoivent désignant la partie passionnée de l'âme et sa partie rationnelle; sur ce qu'est leur mélange inséparable, le pouvoir de chacune d'entre elles et l'accomplissement des activités de chacune d'elles en vue d'un but unique. Et dis-leur encore de qui est la figure celui qui les accomplit et qui sont ceux qui, avec lui, repoussent ceux qui font obstacle à une conduite pure; et que, parmi les êtres vivants, les uns ont la mémoire, les autres ne l'ont pas.

ܚܬܝܪܝܢ (? lecture incertaine), «supérieurs», «excellents»; *S₁* «ceux qui sont zélés dans la crainte de Dieu» et *Arm.* «ceux qui craignent beaucoup Dieu» font plutôt penser à θεοσεβέστατοι. ܒܠܚܘܕ (*secundo*), «seulement», qui se lit dans Frankenberg et *Add. 14578*, est absent dans les autres manuscrits de *S₁*.

Les mystères ... qui purifient l'homme intérieur (*S₁* et *S₂* «notre homme intérieur»), comparer *TP* 100 : «Les prêtres, il faut les aimer après le Seigneur, eux qui nous purifient par les saints mystères» (et voir la note *ad loc.*); ces «mystères» sont évidemment la célébration eucharistique, dont le présent chapitre explique la signification symbolique.

Les vases qui les reçoivent, le mot «vases», qui en grec était probablement τὰ σκεύη, est donné seulement par *S₃*, ܡܐܢܐ, équivalent habituel de σκεῦος. Les autres versions ont substitué au signifiant le signifié : *S₂* «les puissances de l'âme qui reçoivent ce mystère», *S₁* «le récepteur et l'examinateur qui sont en nous»; *Arm.* est peu clair, «le conseil (ժողովք, «l'assemblée» des fidèles?) qui peut recevoir»; comme on le voit, «qui reçoivent» est attesté par tous : il s'agit vraisemblablement des vases sacrés destinés à recevoir le pain et le vin. Autres textes sur le symbolisme du pain et du vin, de la chair et du sang du Christ, chez Évagre, voir *Moines* 119-120 : «Chairs du Christ sont les vertus pratiques, et celui qui les mange deviendra impassible ; sang du Christ est la contemplation des êtres, et celui qui le boit obtiendra en lui la sagesse»; comparer *Lettre sur la Trinité* 4, 20-27, *KG* II, 44 et *in Ps.* 67, 24 (Pitra III, p. 84).

Sa partie rationnelle, probablement λογιστικόν, distincte de la «partie passionnée de l'âme», cf. *TP* 84, et, sur cette dernière, ci-dessus ch. 2, qui se décompose elle-même en partie irascible et partie concupiscible, cf. *in Ps.* 25, 2 (*PG* 12, 1273 A), cité en note sous *TP* 38.

Leur mélange inséparable : plutôt qu'au mélange de l'eau et du vin, dont Évagre donne ailleurs (cf. *KG* V, 32) une explication symbolique, référence est faite ici au rite par lequel le prêtre fait tomber dans le calice des fragments du pain consacré, rite dit *commixtio* ou *immixtio*, cf. S_1 ⲁⲟⲙⲁⲗⲁⲱ, S_3 ⲟⲙⲕⲁⲗⲁⲗⲩ, «mélange», ce qui suggère en grec σύμμιξις, ou, d'après S_2 ⲕⲑⲁⲉⲕⲁⲭ, «union», ἕνωσις (sur le sens technique de ce terme, voir L. CLUGNET, *Dictionnaire grec-français des noms liturgiques dans l'Église grecque*, Paris 1895, p. 48). «Leur» dans S_1 et S_3 (*Arm.* «les») est rendu par un suffixe masc. pl. par accord avec le mot «vases» (ou S_1 «récepteur et examinateur»), mais en réalité l'expression s'applique, par hypallage, à ce qui est contenu dans les vases.

Le pouvoir de chacune d'entre elles, texte de S_3 (litt. «de chacun d'entre eux», l'accord grammatical étant fait, ici encore, avec le mot «vases», alors qu'il s'agit ici des parties de l'âme que les vases symbolisent). Pour «pouvoir» le substrat grec était vraisemblablement κράτος, que S_1 «quand une partie l'emporte sur l'autre» et, plus nettement, S_2 «ce qu'est la victoire, ⲕⲑⲁⲍⲓ, de l'un» ont pris au sens de «victoire». *Arm.* a omis ces mots ainsi que les

suivants (jusqu'à « les activités de chacune d'elles »), peut-
être par suite d'un saut du même au même.

*L'accomplissement des activités de chacune d'elles en vue
d'un but unique*, texte de S_3. Les autres versions sont
différentes : S_1 « chacune des activités accomplit un type
unique », S_2 « la fin de la tâche qui est réalisée en accord par
eux » ; *Arm.* a seulement « en vue de l'accomplissement de
chaque type ». Cette phrase, peu claire, décrit, peut-on
penser (cf. *Moines* 119-120, cité ci-dessus), l'état d'impassibilité, atteint par la purification de la partie passionnée de
l'âme et dans lequel chacune des parties de l'âme, agissant
selon sa nature, s'exerce en vue d'une seule fin, qui est la
contemplation, l'activité propre de l'intellect, cf. *TP* 86.

De qui est la figure celui qui les accomplit : S_2 précise
« les prêtres qui accomplissent ce mystère ». Pour « figure »
le substrat grec était probablement τύπος, cf. S_2 ⲕⲟⲟⲁⲗ ;
S_1 et S_3 ont ⲕⲓⲕⲓ, « mystère », « symbole » ; *Arm.*
ⲛⲭⲱⲛⲱⲕ, « signe » ; le prêtre est la « figure » du Christ.

Ceux qui avec lui repoussent : les anges, qui sont
considérés comme assistant le prêtre lors de la célébration
eucharistique, cf. E. PETERSON, *Le livre des anges*, éd. fr.,
Paris 1954, p. 73-74.

Ceux qui font obstacle à une conduite pure sont évidemment les démons, comme le précise S_2 « ceux qui avec eux
chassent loin de nous les démons impurs ». « Conduite »,
probablement πολιτεία, qui, au ch. 13, est traduit par les
mots ⲕⲓⲃⲟⲁⲛ dans S_2 et S_3 et ⲯⲱⲡⲣ dans *Arm.*, que ces
versions ont précisément ici ; S_1 traduit plus librement :
« qui empêchent que nous vivions dans la pureté ».
L'expression « conduite pure » désigne, comme « conduite
droite » au chapitre précédent, la pratique, laquelle a pour
but la purification, cf. *TP* 78.

Parmi les êtres vivants ... Évagre paraît se souvenir ici
d'un texte d'ARISTOTE, *Métaphysique* A 1 980ᵃ 29 : « Parmi
les êtres vivants, chez les uns de la sensation naît la
mémoire, non chez les autres », ἐκ τῆς αἰσθήσεως τοῖς μὲν τῶν
ζῴων οὐκ ἐγγίγνεται μνήμη, τοῖς δ' ἐγγίγνεται. S_2 a supprimé

< ιε′ >

Γνώριζε καιρῶν καὶ βίων καὶ ἐπιτηδευμάτων τοὺς λόγους
καὶ τοὺς νόμους, ἵνα ἔχῃς ἑκάστῳ τὰ συμφέροντα ῥᾳδίως
λέγειν.

---

15. Adest in JLKM

1 καὶ¹ om. K ‖ 2 συμφέροντα : σύμφορα J

---

cette dernière phrase, sans doute parce qu'il l'a jugée sans
rapport avec le reste du chapitre, embarras bien compréhensible! Les autres versions sont d'accord entre elles, ce
qui permet une traduction assurée. Les mots ܚܝܘܬܐ de
S_1 et S_3 et մնացումիր de *Arm.* traduisent certainement τὰ
ζῷα; ce terme doit être entendu ici, comme dans le texte
d'Aristote et ailleurs chez Évagre (cf. *KG* IV, 37), dans le
sens général de «êtres vivants» et non, comme l'a fait *Arm.*
(«parmi les animaux sans parole») dans le sens restreint de
«animal», opposé à «homme», auquel cas il s'agirait des
démons qu'Évagre, à la suite d'Origène, assimile parfois à
des animaux (par ex. *KG* I, 53, texte grec dans HAUSHERR,
Nouveaux fragments, p. 230). Sous le couvert d'un texte
emprunté à la tradition scolaire, Évagre formule, semble-t-
il, d'une façon énigmatique et avec référence implicite à
I Cor. 11, 24-25 (paroles de Jésus lors de l'institution de
l'Eucharistie) : «Faites cela en mémoire de moi», l'idée que
tous ne sont pas aptes à saisir, à «discerner» (cf. *ibid.*,
v. 29), le sens profond du mystère eucharistique; d'où le
conseil de prudence donné au début du chapitre. Comparer
in Prov. 5, 11 (sch. 61, p. 152-153) : «Par les vices les
méchants usent les chairs du Christ et répandent son sang
qu'ils tiennent pour profane (κοινόν)».

Comparer ORIGÈNE, *Homélies sur les Nombres* IV, 3 (éd.
Baehrens, *GCS* 30, p. 23; trad. Méhat, *SC* 29, p. 106-107) :
«Si quelqu'un est véritablement un prêtre, à qui ont été
confiés les vases sacrés, c'est-à-dire les secrets des mystères

15

Apprends à connaître les raisons et les lois des circonstances, des genres de vie et des occupations, pour que tu puisses facilement dire à chacun ce qui lui est utile.

de la sagesse, qu'il apprenne d'après cela (cf. *Nombr.* 4, 5-18) et qu'il observe comment il faut les garder sous le voile de la conscience et ne pas les produire facilement au peuple ... Car il n'est accordé qu'aux fils d'Aaron, c'est-à-dire aux prêtres, de voir à nu et dévoilée l'arche du Témoignage ... ».

15. De façon assez étonnante, S_1 et S_2 se sont mépris sur la syntaxe, pourtant simple, de la première proposition : S_1 «Apprends à connaître le temps des paroles et des actions et des lois» (*Add. 12175* «et les lois», *Add. 14578* = Frankenberg «des actions des lois»), S_2 «Connais les définitions des lois, des temps, des paroles, des genres de vie et des activités». S_3 a corrigé S_1 en le rendant conforme au texte grec. *Arm.* a respecté exactement non seulement la syntaxe, mais aussi l'ordre des mots du texte grec.

Facilement : ce mot est omis dans toutes les versions, sauf S_3.

Ce qui lui est utile : les versions syriaques semblent avoir lu τὰ συμφέροντα, mais *Arm.* τὰ σύμφορα.

Pour s'adapter à son auditoire, le gnostique doit connaître et tenir compte des situations concrètes de chacun ; il doit en avoir une connaissance non seulement empirique, mais raisonnée, par le moyen des *logoi* ou «raisons».

Le couple λόγος/νόμος est stoïcien, cf. von Arnim, *SVF* IV, p. 100.

Comparer Grégoire de Nazianze, *Discours* II, 18 (éd. Bernardi, *SC* 247, p. 114-115) : «Le médecin observera les lieux, les circonstances (καιρούς), les âges, les moments et les autres choses de ce genre ...», afin de donner à chacun le remède qui convient ; ainsi en sera-t-il du médecin des âmes, ce qu'est le gnostique (cf. ch. 33).

< ιϛ' >

< ιζ' >

---

16. Deest graece
17. Deest graece

---

16. *La matière*, probablement τὴν ὕλην ou τὰς ὕλας : mot
commun à toutes les versions (*Arm.* a le pluriel), sauf S_2
qui, s'inspirant peut-être du ch. 19 ci-dessous, glose ainsi le
texte : «les témoignages tirés des livres et la science des
choses du monde».

Ce qui est dit : dans l'Écriture, τὸ λεγόμενον (ou τὰ
λεγόμενα), cf. ORIGÈNE, *Des principes* III, 1, 11 : «Il faut
être attentif à l'habitude et au sens de ce qui est dit (τοῦ
λεγομένου)». Premier chapitre concernant l'exégèse. S_2 a
mal compris : «l'explication des choses qui sont enseignées
aux disciples».

Tu embrasses toutes choses : S_1 S_3 «que te suffisent
(ܣܦܩ) toutes les choses», S_2 «que nous suffise la vision des
choses créées», *Arm.* «beaucoup réfléchir (ζմմատրէլ) sur
toutes les choses». L'original grec avait probablement
πάντα χωρεῖν, mal interprété par les traducteurs syriaques,
qui ont pris πάντα pour le sujet. Pour cet emploi de χωρεῖν
chez Évagre (fréquent aussi chez Origène, voir
H. CROUZEL, *Origène et la connaissance mystique*, Paris
1961, p. 392-393) voir par exemple *in Prov.* 23, 1-3
(sch. 250, p. 346-347) : «car tous ne sont pas capables de
comprendre (οὐ γὰρ πάντες χωροῦσι) le sens mystique de
l'Écriture».

Même si une partie t'échappe : développement parénétique chez S_2 : «Si nous échappe un peu de la science des

16

Il faut que tu aies la matière pour l'explication de ce qui est dit, et que tu embrasses toutes choses, même si une partie t'échappe; c'est le propre de l'ange, en effet, que rien ne lui échappe de ce qui est sur la terre.

17

Il faut aussi connaître les définitions des choses, surtout celles des vertus et des vices; c'est là, en effet, la source de la science et de l'ignorance, du royaume des cieux et du tourment.

natures et qu'il nous soit difficile de l'atteindre, ne nous attristons pas!»

De ce qui est sur la terre, c'est-à-dire l'ensemble des natures créées, objet de la contemplation naturelle que seuls les anges (et de rares hommes) possèdent véritablement, cf. *KG* I, 23, et voir ci-dessous, ch. 40.

17. Accord général des versions, pour ce chapitre, à l'exception de S_2 qui, après la première phrase, insère une curieuse glose inspirée de *Eccl.* 3, 1, lui-même glosé : «Pour chaque chose, en effet, voici qu'il y a un temps, des mesures et des définitions».

Les définitions : ce chapitre fait suite aux ch. 15 et 16 et concerne, comme eux, la matière à enseigner, spécialement, ici, les définitions des vertus et des vices, ce à quoi Évagre s'est lui-même beaucoup attaché dans plusieurs de ses livres (*TP, Huit Esprits, Vices opposés aux vertus*, etc.). Les définitions, οἱ ὅροι, furent un sujet de prédilection d'abord dans l'Académie (cf. les *Définitions* mises sous le nom de Platon), puis chez les stoïciens, cf. DIOGÈNE LAËRCE VII, 7 (Chrysippe).

< ιη′ >

---

18. Deest graece

Et surtout : dans le texte de Frankenberg, au lieu de ܒܟܐܝܬ ܟܬܝ, «exactement», il faut lire ܒܟܪܝܒܐ, inscrit dans la marge de l'*Add. 14578*, manuscrit utilisé par cet éditeur, et donné par tous les autres manuscrits de S_1, ainsi que par S_2 et S_3; de même *Arm*.

La source : S_1 et S_3 ont «la source et le principe», ce qui évoque l'expression πηγὴ καὶ ἀρχή usuelle depuis PLATON (*Phèdre* 245 C); mais *Arm*. («les sources») et S_2 («les causes») n'ont que le premier terme.

De la science et de l'ignorance : la corrélation existant entre la vertu et la science, le vice et l'ignorance, lesquelles conduisent respectivement au «royaume des cieux» et au «tourment» (S_2 et S_3; *Arm*. «supplices infernaux»; S_1 «châtiment») est une idée maîtresse de la pensée d'Évagre, souvent exprimée, cf. *in Ps*. 138, 11 (*PG* 12, 1661 B) : «De même que nous avons acquis l'ignorance par la malice, de même nous avons reçu la science par la vertu»; voir aussi *in Ps*. 88, 49 (*ibid*. 1549 C); 117, 19-20 (*ibid*. 1581 D); 120, 8 (*ibid*. 1632 C); *KG* I, 44, 46, etc.

18. Premier d'une série de chapitres (18-21) concernant l'exégèse de l'Écriture.

Passages allégoriques ... passages littéraux : S_1 «les allégories des mystères et les (choses) simples», S_2 «les allégories et les sujets des livres, ceux qui sont dits en symbole et ceux qui sont connus ouvertement et de façon simple», *Arm*. «les questions, celles qui sont simples et celles qui sont de controverse», S_3 en grande partie illisible. Texte grec probable τὰ ἀλληγορούμενα ... τὰ ἁπλᾶ.

18

Il faut chercher à savoir, au sujet des passages
allégoriques et des passages littéraux, s'ils relèvent de la
pratique ou de la physique ou de la théologie. S'ils relèvent
de la pratique, il faut examiner s'ils traitent de l'irascibili-
té et de ce qui naît d'elle, ou bien de la concupiscence et de
ce qui la suit, ou bien de l'intellect et de ses mouvements.
S'ils relèvent de la physique, il faut voir s'ils font
connaître quelqu'une des doctrines concernant la nature, et
laquelle. Et si c'est un passage allégorique concernant la
théologie, il faut autant qu'il est possible examiner s'il
informe sur la Trinité et si celle-ci est vue simplement ou
si elle est vue dans l'Unité. Mais si ce n'est rien de cela,
c'est une contemplation simple, ou bien il fait connaître
une prophétie.

Pratique... physique... théologie : sur ce schéma, appliqué ici à l'exégèse, voir les notes aux ch. 12 et 13 et
Introd., p. 30.

Irascibilité... concupiscence... intellect, θυμικόν, ἐπιθυμητι-
κόν, νοῦς (ou λογιστικόν), les trois parties de l'âme, cf. note
au ch. 14.

Ce qui naît d'elle... ce qui la suit : voir la note au ch. 4.

Ses mouvements : sur les mouvements (κινήσεις) de
l'intellect, voir *TP*, ch. 48 et 51 et les notes afférentes.

Doctrines : S_3 ܪܚܐ, Arm. ⟨ᒼ⟩, mots qui, au
ch. 13, traduisent δόγμα ; voir aussi ch. 35, où ces mêmes
termes se retrouvent, en ce même sens, dans ces versions et
dans S_1. Ici S_1 « au sujet des ordres des natures » semble
avoir lu τὰ τάγματα au lieu de τὰ δόγματα. S_2 n'a pas traduit
ce mot.

Trinité : S_1 S_2 *Arm.* ajoutent « sainte ».

Si celle-ci est vue simplement ou si elle est vue dans
l'Unité : texte de S_3. Sur ce point il y a une grande
discordance entre les versions : S_1 « et celle-ci simplement
ou s'il désigne le nom de quelque chose d'autre avec elle »,

< ιθ′ >

< κ′ >

---

19. Deest graece
20. Deest graece

S_2 «s'ils (le sujet de la phrase est au pluriel) nous la montrent ouvertement ou de façon cachée», *Arm.* n'a pas traduit cette partie de la phrase. «Unité», syr. *(S₃)* ܟܚܝܘܬܐ, cf. *KG* III, 1 et IV, 21, où ce mot est associé à ܟܚܝܕܝܘܬܐ («Monade et Unité»).

Contemplation simple : S_1 S_2 ܟܚܙܘܐ «vision», S_3 ܣܘܟܠܐ «intellection»; *Arm.* («c'est quelque chose de très simple») n'a pas traduit le mot. Probablement θεωρία ψιλή.

Prophétie, προφητεία, au sens de récit. Dans *in Ps.* 76, 21 (Pitra, III, p. 109), dans un important développement sur les quatre sens de l'Écriture, προφητεία est mis en correspondance avec τὸ ἱστορικόν, c'est-à-dire le récit.

19. *Les habitudes*, litt. l'habitude, ἔθος ou συνήθεια : expression fréquente chez Évagre, comme chez Origène, pour désigner les habitudes de langage de l'Écriture, voir par ex. *in Ps.* 15, 9 (*PG* 12, 1216 A) : «C'est, en effet, une habitude (ἔθος) pour la divine Écriture (τῇ θείᾳ γραφῇ) de dire le cœur au lieu de l'intellect»; même formule dans *in Ps.* 64, 10 (Pitra, III, p. 75), 93, 5 (*ibid.*, p. 176) et 142, 8 (*ibid.*, p. 351). Même expression avec συνήθεια dans *in Ps.* 83, 12 (*ibid.*, p. 145) : «C'est une habitude (*lege* συνήθεια) pour la divine Écriture ...»; voir aussi *in Prov.* 1, 9 (sch. 7, p. 96 et note Géhin p. 99).

La divine Écriture : S_1 et S_3 «les livres divins», S_2 «les livres», *Arm.* «les Écritures saintes». Dans le texte grec,

19

Il est bon de connaître aussi les habitudes de la divine Écriture et de les établir, autant qu'il est possible, par le moyen des témoignages.

20

Il faut savoir encore ceci, que tout texte de caractère éthique ne comporte pas une contemplation de caractère éthique, et non plus un texte concernant la nature une contemplation de la nature; mais tel qui est de caractère éthique comporte une contemplation de la nature et tel qui traite de la nature comporte une contemplation de l'éthique, et de même pour la théologie. Ce qui est dit, en effet, de la fornication et de l'adultère de Jérusalem[d], des animaux de la terre sèche et des eaux, et des oiseaux, les purs et les impurs[e], du soleil qui «se lève, se couche et

---

d. Cf. Éz. 16, 15-34   e. Cf. Lév. 11, 2-19

---

probablement θεία γραφή, comme dans les textes cités dans la note précédente.

Témoignages, c'est-à-dire les exemples tirés de l'Écriture, selon un sens habituel du mot τεκμήριον.

S_2 s'est mépris sur le sens du chapitre : «Il est bon que nous connaissions aussi l'habitude des livres, afin que nous puissions présenter rapidement et comme il convient les témoignages qui sont nécessaires».

20. Ce chapitre fait suite au ch. 18 plutôt qu'au ch. 19.

Il faut savoir : tour impersonnel qui était probablement celui du texte grec, retenu par *Arm*. Les versions syriaques l'ont remplacé par un tour personnel (S_1 S_3 «Sachons», S_2 «Considérons»). Cf. Introd. p. 68.

Tout texte de caractère éthique : S_1 «toute parole d'exhortation», S_3 «une parole d'exhortation», S_2 «une parole qui est dite au sujet des pratiques», *Arm.* «une parole de l'habitude». Le mot rendu dans les versions syriaques par ܩܠܬܐ et par ܒܢܢ dans *Arm.*, «parole», est probablement ῥητόν, mot qui fréquemment chez Évagre, comme chez Origène, est employé pour désigner un texte ou un passage de l'Écriture, voir, par ex. *in Ps.* 7, 4 (*PG* 12, 1180 A), 34, 11 (Pitra, III, p. 7), 54, 23 (*ibid.*, p. 59 *lege* τούτου τοῦ ῥητοῦ), etc. ; *in Prov.* 18, 13 (sch. 182, p. 276), 20, 12 (sch. 215, p. 310), 21, 3 (sch. 222, p. 316), etc. Le second terme, plutôt que πρακτική que suggère S_2, était ἠθική, auquel *Arm.*, le traduisant par �*ܢܢܝܐ*, «habitude», a donné le sens de ἦθος (de même au ch. 35, ci-dessous). L'expression grecque était probablement ῥητὸν τῆς ἠθικῆς. Dans la trilogie πρακτική, φυσική, θεολογική, Évagre remplace parfois, spécialement dans les *Scholies aux Proverbes*, πρακτική par le terme, usuel dans la tradition scolaire, ἠθική, cf. *in Prov.* 22, 20 : «Toute la doctrine de l'Écriture se divise en trois parties, εἰς ἠθικὴν καὶ φυσικὴν καὶ θεολογικήν» (sch. 247, p. 342-343 ; voir aussi 1, 1, cité ci-dessous).

Contemplation : $S_1 S_3$ ܣܘܟܠܐ, «intellection», mot qui souvent, principalement dans S_3, traduit λόγος, S_2 ܦܘܫܩܐ, «explication», *Arm.* «qui connaît les pensées (des Écritures)», *ܡܝ܏*, mot qui sert à traduire divers termes grecs, parfois θεωρία (cf. Introd. p. 72, n. 61) ; c'est probablement ce dernier terme qu'avait ici le texte grec (autre équivalence ܣܘܟܠܐ S_3 et θεωρία au ch. 18, voir la note *ad loc.*). Pour cet emploi de θεωρία, comparer *in Prov.* 1, 1 (sch. 2, p. 90-91) : «Le royaume d'Israël, c'est la science spirituelle... qui dévoile la contemplation (θεωρία)

retourne en son lieu[f]», se rapporte en premier lieu à la théologie, en second lieu à l'éthique, en troisième lieu à la physique. Or le premier texte relevait de l'éthique et les deux autres de la physique.

f. Cf. Eccl. 1, 5

portant sur l'éthique, la physique et la théologie». Comme le sens littéral, le sens spirituel peut se rapporter à l'un ou à l'autre des trois ordres, mais pas nécessairement à celui que concerne le sens littéral.

Et non plus un texte : à partir d'ici jusqu'à «de caractère éthique» le texte de *Arm.* présente une lacune, par suite d'homoiotéleuton sur le mot «nature».

En premier... en second... en troisième lieu, sans doute πρῶτον, δεύτερον, τρίτον. Dans $S_2 S_3$ et *Arm.* l'ordre de ces termes est inversé, probablement par suite d'une faute survenue anciennement dans le texte grec. La confusion est accrue dans le texte arménien édité, qui, au lieu de «second» a de nouveau «troisième» : il faut, suivant les deux manuscrits d'Erivan, corriger *երրորդ (secundo)* en *երկրորդ.* S_1 a rétabli l'ordre normal, mais en développant chacun des termes et en glosant le texte de façon à dégager plus nettement le sens du chapitre : «On pense que littéralement ils (les textes scripturaires cités) renseignent sur quelque chose, mais leur intellection est quelque chose d'autre ; celui, en effet, qui concerne la fornication de Jérusalem renseigne sur la divinité, alors qu'on pense qu'il est exhortatoire ; celui qui concerne les animaux purs et impurs, on pense qu'il relève de la nature, mais c'est une parole d'exhortation ; et celui qui concerne le soleil relève de la nature, et voici que l'on pensait que la première parole était exhortatoire et les deux autres relevant de la nature». On retrouvera, au ch. 45, chez S_1 ce même souci d'expliciter les termes «le premier», «le deuxième», etc.

Dans le texte édité par Frankenberg, ce chapitre 20 forme deux chapitres, 122-123.

< κα' >

Τοὺς τῶν ψεκτῶν προσώπων λόγους οὐκ ἀλληγορήσεις, οὐδὲ ζητήσεις τι πνευματικὸν ἐν αὐτοῖς, πλὴν εἰ μὴ δι' οἰκονομίαν ὁ Θεὸς ἐνήργησεν, ὡς ἐν τῷ Βαλαὰμ g καὶ Καϊάφᾳ h, ἵνα ὁ μὲν περὶ γενέσεως, ὁ δὲ περὶ θανάτου τοῦ Σωτῆρος ἡμῶν προείπῃ.

< κβ' >

Δεῖ δὲ μὴ σκυθρωπὸν εἶναι τὸν γνωστικὸν μηδὲ δυσπρόσιτον · τὸ μὲν γὰρ ἀγνοοῦντός ἐστι τοὺς λόγους τῶν γινομένων · τὸ δὲ μὴ βουλομένου πάντας ἀνθρώπους σωθῆναι καὶ εἰς ἐπίγνωσιν ἀληθείας ἐλθεῖν i.

---

21. Adest in Mosq.

22. Adest in JLKM

1-2 σκυθρωπὸν εἶναι τ. γ. μηδὲ δυσπρόσιτον e versionibus correximus : δυσπρόσιτον εἶναι τ. γ. μηδὲ σκυθρωπὸν codd.

---

21. *Personnages blâmables ... Balaam* : selon une ancienne tradition attestée par *II Pierre* 2, 15-16, *Jude* 11 et *Apoc.* 2, 14, Balaam était considéré comme le type des faux docteurs qui ont cherché à égarer Israël, ce qui explique qu'il soit classé parmi les « personnages blâmables ». Dans ses *Homélies sur les Nombres*, XV, 1 (éd. Baehrens, *GCS* 30, p. 128 ; trad. Méhat, *SC* 29, p. 294-295), Origène présente Balaam comme étant tantôt digne de louange (*laudabilis* = ἐπαινετός), tantôt digne de blâme (*vituperabilis* = ψεκτός) ; blâmable, il l'est pour avoir désobéi à Dieu, offert des sacrifices aux démons, poussé Israël à l'idolâtrie, etc. ; mais il est louable quand, « la parole de Dieu étant mise dans sa bouche » (cf. *Nombr.* 23, 5), il prophétise la venue du Sauveur, prophétie qui, connue des mages, les a poussés

21

Tu n'allégoriseras pas les paroles des personnages blâmables et tu n'y rechercheras rien de spirituel, à moins que Dieu n'ait agi en vertu de l'Économie, comme il l'a fait en Balaam[g] et en Caïphe[h], afin que l'un prédise la naissance, l'autre la mort de notre Sauveur.

22

Il faut que le gnostique ne soit ni sombre, ni d'un abord difficile. Cela, en effet, est de quelqu'un qui ignore les raisons des êtres; ceci, de quelqu'un qui ne veut pas « que tous les hommes soient sauvés et parviennent à la connaissance de la vérité[i] ».

g. Cf. Nombr. 24, 17-19   h. Cf. Jn 11, 49-51
i. Cf. I Tim. 2, 4

à se rendre à Bethléem : « Un astre se lèvera de Jacob, un homme surgira d'Israël » (*Nombr.* 24, 17, cité *ibid.* XIII, 7, Baehrens, p. 118 ; Méhat, p. 278).

Caïphe : « Caïphe... leur dit : Vous ne réfléchissez pas qu'il est avantageux pour vous qu'un seul homme meure pour le peuple... Ce n'est pas de lui-même qu'il dit cela, mais, comme il était grand-prêtre cette année-là, il prophétisa que Jésus devait mourir pour la nation... » (*Jn* 11, 49-51). Origène met pareillement en parallèle la prophétie de Caïphe sur la mort du Christ et celle de Balaam sur sa naissance, *op. cit.* XIV, 3 (Baehrens, p. 127-128 ; Méhat, p. 293).

22. Dans les manuscrits qui en ont conservé le texte grec ce chapitre fait suite au ch. 15, sous un même numéro (cf. Introd., p. 44, n. 3).

< κγ′ >

---

23. Deest graece

Ni sombre ni d'un abord difficile : le texte des manuscrits
grecs, pour ce qui est de l'ordre de ces termes, doit être
corrigé (de telles inversions sont fréquentes dans ces
manuscrits, cf. Introd., p. 75), d'après le témoignage
unanime des versions : $S_1 S_3$ « Il ne faut pas que le
gnostique soit sombre et non plus désagréable à l'égard de
ceux qui s'approchent de lui », S_2 « Il ne faut pas que le
gnostique soit sombre et non plus qu'il repousse ceux qui
veulent l'interroger », *Arm.* « Il faut que le gnostique ne soit
ni triste ni chagrin ni désagréable » (lire ηͷʆ, au lieu de
ηͷʆ, « inconvenant », donné par Sarghisian et les
manuscrits collationnés). L'ordre des mots attesté par les
versions est confirmé par la suite du chapitre. Comparer
CLÉMENT D'ALEXANDRIE, *Str.* VII, VII, 45 : par l'effet de
la prière qui le maintient dans la contemplation, le
gnostique est « doux et humble, facile d'abord et affable
(εὐπρόσιτος, εὐαπάντητος), patient, bienveillant... » (éd.
Stählin, *GCS* 17, p. 34).

Quelqu'un qui ignore les raisons des êtres, c'est-à-dire qui
n'est pas parvenu à la contemplation spirituelle des
natures (sur les « raisons des êtres », *logoi*, voir ci-dessus,
p. 29). La tristesse est le signe que l'on n'a pas encore
goûté à la science, car celle-ci procure la joie, cf. *TP* 90 et
les textes cités dans la note *ad loc.* ; elle est source de
plaisir, cf. *ibid.* 24 et 32 (avec les notes afférentes), *KG* III,
64 (texte cité plus loin sous le ch. 25) et IV, 49 (le plaisir
qui accompagne la science comble l'intellect).

Qui ne veut pas ... de la vérité : même utilisation, mais à
propos des démons, de cette citation de *I Tim.* 2, 4, mise
en forme négative, dans *in Ps.* 16, 13 (*PG* 12, 1221 D) ; *in
Ps.* 32, 10 (1305 C) ; *in Ps.* 67, 24 (Pitra III, p. 84) et *in
Prov.* 24, 17 (sch. 272, p. 366).

23

*Il est nécessaire parfois de feindre l'ignorance, parce que
ceux qui interrogent ne sont pas dignes d'entendre. Et tu
seras véridique, puisque tu es lié à un corps et que tu n'as
pas maintenant la connaissance intégrale des choses.*

23. Ici encore (cf. ch. 20) *Arm.* a conservé, au début du
chapitre, le tour impersonnel qui était probablement celui
du texte grec, « Il faut nécessairement parfois prétexter
même l'ignorance ... » ; S_1 et S_3 l'ont remplacé par le tour
personnel, 1re pers. pl., « Il est nécessaire parfois que nous
fassions croire (S_3 « nous disions ») au sujet de nous-mêmes
que nous ne savons pas » ; S_2 a recouru à la 3e pers. sing., en
délayant le texte selon son habitude, « Parfois il faut que le
gnostique refuse de répondre à la question des interroga-
teurs et dise qu'il n'est pas instruit de ce qui est demandé ».
Dans la seconde partie du chapitre, toutes les versions, à
l'exception de S_2 qui conserve la 3e pers. sing., ont la
2e pers. sing., qui était probablement aussi dans le texte
grec (dans *Arm.*, au lieu de ‫ܠ‬, lire ‫ܟܘ‬).

On lit un texte similaire dans *Disciples d'Évagre* 87 : « Il
est nécessaire de répondre quand il s'agit des vertus, de la
doctrine ou de la foi ... (restituer « Mais il y a des cas où il
ne faut pas répondre ») soit parce que la question n'est pas
en rapport avec l'état de celui qui la pose, soit parce que
d'autres sont présents et ne sont pas capables d'entendre
(καὶ μὴ ὄντας ἱκανοὺς ἀκοῦσαι), soit du fait de notre
ignorance, car nous ne savons pas tout (οὐ γὰρ πάντα
γινώσκομεν) ... » (texte inédit, cité d'après copie Paramelle).

Comparer aussi *ibid.* 155 : « Quelqu'un disait qu'au
médecin seul il est permis de s'irriter ou de mentir,
pareillement aussi au maître, et cela en raison d'une
certaine « économie », mais à personne d'autre ». Comme ce
texte, le présent chapitre concerne une question — à qui et
dans quel cas est-il permis de mentir ? — qui fut
longuement débattue parmi les philosophes, depuis PLA-

< κδ′ >

Πρόσεχε σεαυτῷ μήποτε κέρδους ἕνεκεν ἢ τοῦ εὐπαθεῖν, ἢ
δόξης χάριν παρερχομένης, εἴπῃς τι τῶν ἀπορρήτων καὶ βληθῇς
ἔξω τῶν ἱερῶν περιβόλων, ὡς καὶ αὐτὸς ἐν τῷ ναῷ τὰ τῆς
περιστερᾶς τέκνα πιπράσκων[j].

---

24. Adest in JLKM

1 εὐπαθεῖν : εὖ παθεῖν M ‖ 2 χάριν παρερχομένης : παρερχομένης χάριν
LKM ‖ βληθῇς : βληθεὶς KM ‖ 3 τῶν om. LKM

TON, qui envisage déjà le cas exemplaire du médecin qui
ment pour le bien de ses malades (cf. *République* III,
389 b), jusqu'à PHILON (voir, entre autres textes, *Quod
Deus sit immutabilis* 60-69), puis dans l'antiquité chrétienne, notamment chez ORIGÈNE (voir *Homélies sur Jérémie*,
XX, 3), ces deux derniers comparant à celle du médecin la
conduite de Dieu, éducateur et didascale soucieux
d'«économie». Voir plus spécialement CLÉMENT
D'ALEXANDRIE, *Str.* VII, IX, 53, 2 : «(Le gnostique) pense
vrai et dit la vérité, sauf parfois dans sa fonction
thérapeutique, comme un médecin mentira ou dira un
mensonge aux malades, pour sauver ceux qui souffrent,
selon les philosophes» (éd. Stählin, *GCS* 17, p. 39); pour
Clément le mensonge est, en ce cas, une forme de la
condescendance, comme le marque la suite du texte, citée
en note au ch. 6, ci-dessus, p. 96-97. Pour la comparaison
du gnostique et du médecin, voir plus loin ch. 33.

24. Les versions sont, de façon générale, d'accord avec
le texte grec, sauf à la fin où S_1 S_3 et *Arm.* ont fait le même
contresens sur ὡς καὶ αὐτός... πιπράσκων, traduisant «comme celui qui, dans le Temple, vendait les petits de la
colombe»; S_2, probablement embarrassé lui aussi, a

24

Garde-toi de dire, en vue du gain ou du bien-être ou
pour une gloire passagère, quelque chose de ce qui ne doit
pas être révélé, de peur que tu ne sois rejeté hors de
l'enceinte sacrée, comme vendant, toi aussi, dans le
Temple, les petits de la colombe[j].

j. Cf. Matth. 21, 12-13

simplement supprimé cette dernière proposition et, du
même coup, la référence à *Matth.* 21, 12-13.

Garde-toi, πρόσεχε σεαυτῷ : sur cette formule d'origine
scripturaire, devenue courante dans la littérature monastique, voir *TP* 25 et la note *ad loc.*

Gain : le sage doit-il faire payer ses leçons ? La question
était débattue chez les anciens. De fait on sait que les
rhéteurs se faisaient payer (cf. P. PETIT, *Les étudiants de*
Libanios, Paris 1957, p. 144). La chose peut étonner en
milieu monastique ; il est cependant rapporté dans la
recension copte de l'*Histoire lausiaque* qu'Évagre lui-même
recevait, de gens venant « de l'extérieur » (probablement
des laïcs) pour profiter de son enseignement, de l'argent, en
grande quantité, qu'il remettait à son économe (éd.
E. AMÉLINEAU, *De Historia Lausiaca*, Paris 1887, p. 115).

Bien-être, litt. « pour être bien traité » : l'usage a
confondu, leur donnant le même sens, εὐπαθεῖν et εὐ πάσχειν
(cf. apparat) ; autres attestations de cette expression, avec
le même sens, dans *Pensées* 22 (1225 B) et *in Prov.* 20, 10
(sch. 214, p. 310).

Pour une gloire passagère, comparer *Euloge* 24 (1125 B) :
« Que celui qui, sorti de la vie pratique et entré dans la vie
gnostique, initie les simples aux ruses des pensées, veille à
ne pas faire étalage de sa science pour en tirer gloire ».

L'enceinte sacrée : au lieu du mot ܪܐܝܘ (= « liberté »)
que donne Frankenberg d'après l'*Add. 14578*, il faut lire
ܪܝܘܢ , donné en correction marginale dans ce ms. et

< κε′ >

---

25. Deest graece

---

leçon de la plupart des autres manuscrits de S_1, en accord
avec le grec. Cette correction avait déjà été proposée,
d'après la version arménienne, par I. HAUSHERR (*Les
versions*, p. 102). L'expression οἱ ἱεροὶ περίβολοι est biblique,
cf. *II Macc.* 6, 4 et, au singulier, *Sir.* 50, 2. Elle désigne ici
symboliquement la gnose ou contemplation spirituelle,
dont sera privé le gnostique s'il cède aux passions de la
cupidité ou de la vaine gloire.

Les petits de la colombe, au lieu de, seulement, «les
colombes» qu'on a dans *Matth.* 21, 12 et lieux parallèles :
peut-être faut-il entendre par là les fruits de l'Esprit, «les
semences semées par l'Esprit-Saint» (cf. *KG* VI, 60), les
vérités secrètes qu'a reçues le gnostique.

25. Dans le texte édité par Frankenberg ce chapitre
forme deux chapitres et demi (ch. 128, 129 et 130,
1ʳᵉ partie), cf. Introd., p. 82 et ci-dessous, Table p. 195.

Ceux qui disputent : sur ce verbe (ἐρίζειν ?), voir la note
finale du ch. 26.

Aux jeunes gens, probablement νέοι, comme au ch. 36 (ci-
dessous), les mêmes que ceux qui sont dits μοναχοί au
ch. 13, comme le montre bien la traduction de S_2 : «ceux
qui maintenant ont commencé dans la vie monastique».

Ni permettre de toucher à des livres de cette sorte, litt. «de
s'approcher de livres de cette sorte», traduction de S_3
corrigeant S_1 qui avait traduit : «ni permettre que des
livres de cette sorte soient approchés d'eux»; cette
divergence d'interprétation tient sans doute au double sens
de προσεγγίζειν, transitif ou neutre. L'interprétation de S_3
est aussi celle de *Arm.* et aussi de S_2, qui dit plus
librement : «Tu ne les laisseras pas lire dans les livres qu'ils

25

Ceux qui disputent sans avoir la science, il faut les faire approcher de la vérité à partir non de la fin, mais du commencement ; et aux jeunes gens il ne faut rien dire des choses gnostiques ni leur permettre de toucher à des livres de cette sorte, car ils ne peuvent résister aux chutes qu'entraîne cette contemplation. C'est pourquoi, à ceux qui sont combattus par les passions, il faut dire non pas les paroles de la paix, mais comment ils triompheront de leurs adversaires ; en effet, comme dit l'Ecclésiaste, « il n'y a pas de délégation au jour de la guerre[k]* ». Ceux, donc, qui sont combattus par les passions et qui scrutent les raisons des corporels et des incorporels ressemblent à des malades qui discutent sur la santé. Mais c'est quand l'âme est difficilement ébranlée par les passions qu'il convient de goûter à ces doux rayons de miel.*

k. Eccl. 8, 8

ne sont pas capables de comprendre». «Des livres de cette sorte», c'est-à-dire des livres «gnostiques»; comme le sont, par exemple, le traité *Des Principes* d'Origène ou les *Képhalaia Gnostica* d'Évagre lui-même, qui a eu soin d'exposer séparément dans ses livres l'enseignement pratique, accessible à tous, et l'enseignement gnostique, réservé aux gnostiques.

Cette contemplation : S_3 a conservé, en le transcrivant, le mot grec lui-même, θεωρία, corrigeant ainsi S_1 ܟܠܝܐ, «vue», «vision»; *Arm.* a զիմաստիմն qui traduit habituellement γνῶσις, mais souvent aussi θεωρία (cf. Introd., p. 72); S_2 dit plus simplement mais inexactement «la lecture des livres». Il s'agit des doctrines relevant de la contemplation spirituelle, qui, mal comprises, peuvent être cause de scandale ou engendrer le «mépris», comme il sera dit au ch. 36.

< κϛ′ >

26. Deest graece

Les paroles de la paix : le texte grec jouait peut-être sur le double sens de λόγοι, les «paroles», mais aussi les «raisons» (comme dans la phrase suivante), dont la contemplation n'est accessible qu'à ceux qui connaissent la «paix» de l'impassibilité.

Leurs adversaires, probablement ἀντικείμενοι, terme usuel chez Évagre pour désigner les démons (cf. par. ex. *TP* 42).

Délégation : dans la citation de l'*Ecclésiaste*, οὐκ ἔστιν ἀποστολὴ ἐν ἡμέρᾳ πολέμου, *S₁* et *S₃* ont respecté le texte de la *Septante* en traduisant ἀποστολή par ܐܬܪܝܙܐ, «annonce», «nouvelle», au lieu de reproduire le texte de la *Peshitta* (ܩܘܠܝܐ, «échappatoire»). *Arm.* պատասխանատուութիւն, «réponse», «excuse» (au lieu de ζրէատակութիւն, «délégation», que porte la version de la Bible), semble avoir lu ἀπολογία. *S₂* a omis la citation scripturaire.

Les raisons des corporels et des incorporels : les *logoi* (sur ce terme, technique, voir Introd., p. 29) des natures visibles et invisibles, objets de la contemplation spirituelle, à laquelle seuls peuvent accèder ceux qui ont acquis une certaine impassibilité, laquelle est la «santé de l'âme», voir *TP* 56 et la note *ad loc.* (Évagre reprend la notion stoïcienne de la passion considérée comme maladie de l'âme). *S₂* a éliminé le vocabulaire technique de la phrase : «Ceux qui ... et qui veulent scruter les choses spirituelles et les invisibles sont semblables aux malades qui imitent les bien portants».

Ces doux rayons de miel : *S₃* omet «doux», mais cet adjectif paraît attesté par les trois autres versions; en revanche, «rayon de miel» est omis par *S₂*, «goûter à la douceur de cette profondeur», et par *Arm.*, «goûter à de telles choses importantes (peut-être κύριον lu pour κηρίον,

26

Ce n'est pas le même temps, celui de l'explication et celui de la discussion. Aussi faut-il réprimander ceux qui prématurément font des objections. C'est là, en effet, l'habitude des hérétiques et des disputeurs.

«rayon de miel», probablement le mot du texte, plutôt que, comme le propose Hausherr, *Les versions*, p. 106, τῶν ἐγκρίτων lu pour τῶν ἐγκρίδων) et qui ont du bon». S_1 a glosé l'expression tout entière : «goûter à ces rayons de miel pleins de douceur (au lieu de ܚܠܝܘܬܐ, «santé», donné par Frankenberg et l'*Add. 14578*, lire ܚܟܡܬܐ avec les manuscrits *Add. 14579* et *14581*) de la science». Cette dernière expression explicite de façon exacte la pensée d'Évagre, comparer *KG* III, 64 : «Si parmi les choses qui se goûtent il n'y en a pas qui soit plus douce que le miel et le rayon de miel, et que la science de Dieu soit dite supérieure à ces choses, il est évident qu'il n'y a rien de tout ce qui est sur terre qui donne du plaisir comme la science de Dieu», et *Moines* 72 : «Agréable est le miel et doux le rayon de miel, mais la science de Dieu est plus douce que tous deux». La comparaison avec le miel ou le rayon de miel est d'origine biblique, cf., par ex., *Ps.* 18, 11, et 118, 103, et surtout, à propos de la sagesse, *Prov.* 24, 13, commenté par Évagre, *in Prov.*, sch. 270, p. 364.

Comparer Clément d'Alexandrie, *Str.* III, vii, 57 (éd. Stählin, *GCS* 15, p. 222) : «De même qu'il vaut mieux être en bonne santé que, étant malade, disserter sur la santé, de même il vaut mieux être lumière que parler sur la lumière ... ».

26. Ce chapitre forme dans le texte édité par Frankenberg la 2ᵉ partie du chapitre 130. Sur le texte, il y a, pour l'essentiel, accord entre les versions.

Explication ... discussion : S_1 et S_3 inversent l'ordre des deux termes. Les termes grecs étaient, selon toute

< κζ′ >

Μὴ ἀπερισκέπτως θεολογήσῃς, μηδέποτε ὁρίζου τὸ θεῖον·
τῶν γὰρ <γεγονότων καὶ> συνθέτων εἰσὶν οἱ ὅροι.

---

27. Adest apud Socratem

1 Μὴ ἀπερισκέπτως θεολογήσῃς e versionibus restituimus : Εὐάγριος
δὲ ἐν τῷ Μοναχικῷ προπετῶς μὲν καὶ ἀπερισκέπτως θεολογεῖν ἀποσυμβουλεύει
Socrates ‖ μηδέποτε ὁρίζου τὸ θεῖον e versionibus restituimus : ὁρίζεσθαι
δὲ ὡς ἁπλοῦν τὸ θεῖον πάντη ἀπαγορεύει Socrates ‖ 2 γεγονότων καὶ e
versionibus restituimus : om. Socrates ‖ εἰσὶν οἱ ὅροι e versionibus
restituimus : εἶναι τοὺς ὅρους φησίν Socrates.

---

vraisemblance, διήγησις (S_1 S_3 ⲔⲞⲢⲀⲂ, «explication», S_2
ⲔⲀⲨⳡⲁⲃ, «interprétation», Arm. ɯɯɯűɴɩβɩɪű, «exposé»)
et ζήτησις (S_1 S_3 ⲢⲈⲓⲂ, «discussion», S_2 ⲔⲂⲩⲞ, «recherche», Arm. ʒɯɰɯɯɯɰɩɴɩβɩɪű, «dispute») ou bien, pour le
premier terme, ὑφήγησις, opposé à ζήτησις chez ALBINUS
(*Prologue* 3, éd. Freudenthal, p. 323, 25-30). Ces termes
correspondent à deux niveaux d'enseignement : d'une
part, le niveau propédeutique où le disciple doit seulement
écouter la leçon du maître, d'autre part le niveau
supérieur, réservé aux plus avancés, celui de la discussion
ou de la recherche, concernant les questions libres et
«indifférentes» (cf. ch. 12), qui peuvent être objet de débat
entre le maître et le disciple et qu'évoque la formule
fréquente chez Évagre comme chez Origène : «Tu rechercheras si...» (par ex. *in Ps.* 118, 75, Pitra III, p. 280, *lege*
ζητήσεις πότερον...; *ibid.*, 109, *PG* 12, 1609 C, ζητήσεις
πῶς... πότερον...; 134, 12, *ibid.*, 1653 C, ζητήσεις μήποτε...);
«Recherche si...» (par ex. *KG* VI, 77, «Est-ce que...?
Recherche encore si... De plus, recherche encore si...»). Tel
était, d'après EUSÈBE (*Hist. Eccl.* VI, 15), l'enseignement
organisé à Alexandrie par Origène, qui confia à Héraclas
l'enseignement élémentaire et se réserva l'enseignement
destiné aux plus avancés; telle était aussi la pratique de

27

Ne parle pas de Dieu inconsidérément et ne définis jamais la Divinité. Les définitions, en effet, sont propres aux êtres créés et composés.

Libanius à Antioche (voir P. Petit, *Les étudiants de Libanios*, p. 93).

Font des objections : S_1 «se tournent contre la parole» (οἱ ἀντιλέγοντες? οἱ ἀντιστρέφοντες?), S_3 «discutent», *Arm.* «s'opposent»; S_2 est, ici encore, le plus explicite : «font obstacle à notre interprétation en nous posant des questions qui relèvent de la recherche» (litt. «...par les questions de la recherche qu'ils nous posent»).

Des disputeurs : S_1 S_2 S_3 ܣ̈ܘ̈ (substantif correspondant au verbe «Ceux qui disputent», au début du ch. 25), *Arm.* Հակառակողք (même mot qu'au ch. 25 et de même radical que le mot traduit par «discussion», ci-dessus). Le substrat grec peut être ἐρισταί ou φιλόνεικοι. Comparer l'attitude de Platon, *République* VII 539 ad, dénonçant les dangers qu'il y aurait à admettre prématurément à la dialectique les jeunes gens, qui n'ont pas une préparation suffisante ni les dispositions requises : cela ne ferait que créer en eux le goût de la dispute et le scepticisme (voir la note de E. Chambry, *ad loc.*, édition des «Belles-Lettres», p. 183).

27. Ce chapitre est le premier de ceux qui sont cités par Socrate ; la citation, faite au style indirect, est assez libre, et non littérale, κατὰ λέξιν, comme l'est celle qu'il fait aussitôt après du ch. 41 (cf. Introd., p. 48) : «Évagre, dans son ouvrage sur les moines (sur ce qui est ainsi désigné, voir Introd., p. 19, n. 10), déconseille de parler de Dieu précipitamment et inconsidérément et il interdit absolument de définir la Divinité, parce que simple. En effet, les définitions, dit-il, sont propres aux êtres composés». Le témoignage unanime des versions oblige à considérer

< κη' >

. . . .
. . . . ὅτι μισεῖ κακίαν ὁ πειραθεὶς κακίαν, πεῖρα δὲ τῆς
ἐγκαταλείψεως ἔγγονος . . . .

---

28. Adest minima pars in cod. Ambr.

προπετῶς et ὡς ἁπλοῦν comme ajoutés par Socrate ; celui-ci,
en revanche, a omis, dans la 2ᵉ partie, τῶν γεγονότων à
joindre à συνθέτων. Les versions, d'accord entre elles sur ce
point aussi, invitent à penser que le texte grec commençait
par Μὴ ἀπερισκέπτως θεολογήσῃς.

Le texte de Socrate, dans la reprise qu'en fait NICÉPHO-
RE CALLISTE X, 15 (cf. Introd., p. 48, n. 15), est librement
paraphrasé et est sans valeur critique pour ce chapitre
d'Évagre.

Ne parle pas de Dieu inconsidérément : comparer *Scholies
à l'Ecclésiaste* 5, 1 (texte inédit, obligeamment communi-
qué par P. Géhin), où Évagre commente ainsi μὴ σπεῦδε
ἐπὶ στόματί σου : « Il prescrit de ne pas parler de Dieu
inconsidérément, μὴ ἀπερισκέπτως θεολογεῖν ».

Ne définis jamais la Divinité : θεῖον, conservé par
Socrate, est attesté aussi dans S₃ et *Arm.*, mais omis par S₁.
S₂ a entendu ὅρος au sens de « limite », d'où sa traduction :
« n'impose pas de mesures ni de limites à ce qui est infini »,
ce qui est peu cohérent avec ce qui suit.

Les définitions : il n'y a de définition que de ce qui est
composé, reprise d'une thèse scolaire traditionnelle, cf. la
définition donnée par ANTIPATROS dans son livre *Sur les
définitions* (chez DIOGÈNE LAËRCE, VII, 60) : « La définition est une parole proférée selon une analyse rigoureuse » ;
de même dans la logique d'ARISTOTE et de PORPHYRE, la
définition d'une substance consiste à dire à quel genre, à
quelle espèce, etc., elle appartient (cf., plus loin, ch. 41) :

28

Souviens-toi des cinq causes de la déréliction, pour que tu puisses relever les pusillanimes abattus par l'affliction. En effet la déréliction révèle la vertu qui est cachée. Quand celle-ci a été négligée, elle la rétablit par le châtiment. Et elle devient cause de salut pour d'autres. Et quand la vertu est devenue prééminente, elle enseigne l'humilité à ceux qui l'ont en partage. En effet, il hait le mal, celui qui en a fait l'expérience; or l'expérience est un rejeton de la déréliction, et cette déréliction est fille de l'impassibilité.

elle procède en décomposant, est « diairétique » (*Métaphysique* Z 12) ; il ne peut donc y avoir de définition de ce qui est ἀσύνθετον (*ibid.* 13) ; or Dieu est ἀσύνθετος (cf. *Éthique à Nicomaque* K 8, où θεῖον est opposé à σύνθετον). Évagre argumente de même : pour lui, la Trinité, non composée par nature, échappe à l'analyse, cf. *KG* V, 62. L'addition de Socrate « parce que simple » est donc parfaitement fidèle à la pensée d'Évagre, voir par ex. *Lettre sur la Trinité* 2, 22-23 : « Dieu est reconnu par tous comme étant simple et non composé, ἁπλοῦς καὶ ἀσύνθετος ».

28. Le mot clef de ce chapitre est celui, qui, apparaissant quatre fois, est traduit ici par « déréliction ». Il a été rendu différemment par les traducteurs anciens : S_1 ܐܬܒܘܢܝܢܘܬ, « compréhension », S_2 ܢܣܝܘܢ, « tentation », *Arm.* ԱՆտաղանդութիւն, « défaillance », S_3 ܐܬܫܒܩܢܘܬ, « déréliction », ce qui est la traduction exacte, comme le prouve le petit fragment grec (sous le lemme Εὐαγρίου, cf. Introd., p. 50), qui, par bonheur, conserve le mot du texte original ἐγκατάλειψις ; ce mot a été lu, semble-t-il, ἐγκατάληψις par S_1 et peut-être κατάληψις par *Arm.* ; S_2 l'a lu correctement, mais l'a rendu en l'interprétant, d'une façon qui n'est point inexacte : la déréliction est en effet l'abandon où Dieu semble parfois laisser l'homme en l'exposant à la tentation (Évagre lui-même associe les deux mots, cf. *Prière* 37). Avec une remarquable perspicacité, car ne disposant ni du fragment grec ni de S_3, I. Haussherr, dans son article *Les versions*, où quatre pages sont consacrées à ce chapitre (p. 109-114), avait déjà proposé ce terme (de préférence à δοκιμασία employé par Frankenberg, vraisemblablement d'après le contexte); à l'appui de cette proposition il alléguait deux passages des *Centuries sur la charité* de Maxime le Confesseur, qui présentent une évidente parenté avec ce chapitre d'Évagre :

Cent. IV, 96 (*PG* 90, 1072 BC; éd. Ceresa-Gastaldo, Rome 1963, p. 236) : il y a, dit Maxime, quatre formes génériques de déréliction, γενικοὶ ἐγκαταλείψεων τρόποι, qu'il énumère ainsi : l'une est «économique», comme celle qu'a connue le Seigneur, «déréliction apparente», qui a pour but le salut de «ceux qui sont dans la déréliction»; une autre a pour but la mise à l'épreuve (πρὸς δοκιμήν), comme ce fut le cas pour Job et pour Joseph, afin qu'ils paraissent des parangons, l'un du courage, l'autre de la chasteté; une autre a en vue «l'éducation paternelle», comme celle que connut saint Paul, afin qu'en s'humiliant, il garde la surabondance de la grâce; une autre enfin survient «par aversion», comme dans le cas des Juifs, afin que, châtiés, ils se repentent.

Même livre, II, 67 (*PG* 90, 1005 B; éd. Ceresa-Gastaldo, p. 124-126), Maxime distingue cinq causes (αἰτίαι), non plus de la «déréliction», mais du fait que Dieu «permet» aux démons de nous combattre : 1) pour que nous parvenions au discernement de la vertu et du vice; 2) pour que notre vertu soit rendue inébranlable; 3) pour que, progressant dans la vertu, nous ne nous enorgueillissions pas et apprenions à nous humilier; 4) pour que, «ayant fait l'expérience du mal (πειραθέντες τῆς κακίας), nous le haïssions (μισήσωμεν) d'une haine parfaite»; 5) surtout pour que, «devenus impassibles», nous n'oubliions pas notre faiblesse ni la puissance de celui qui nous a secourus.

Un autre texte en partie parallèle à ce chapitre d'Évagre
(rapprochement déjà fait par R. DRAGUET, *RHE* 42 (1947),
p. 27, sous le n° 245), antérieur à ceux de Maxime, se lit
dans l'*Histoire lausiaque* de PALLADE, ch. 47 (éd. Butler,
p. 136-142 ; une partie de ce texte forme l'homélie
supplémentaire n° 54 du Pseudo-Macaire, éd. Marriott,
p. 38-41). Pallade rapporte un entretien que lui-même
ainsi qu'Évagre, son maître, et leur ami Albanius eurent
un jour avec Paphnuce, celui qui était surnommé Képhalas, qu'il qualifie de « très gnostique » ; à une question de ses
interlocuteurs concernant la chute de moines apparemment vertueux, dont des exemples récents sont cités,
Paphnuce leur tient un discours sur « les causes de la
déréliction », τῶν ἐγκαταλείψεων αἱ αἰτίαι (p. 141, 5) ; il en
distingue deux : 1) « à cause de la vertu cachée, afin qu'elle
soit manifestée », διὰ κεκρυμμένην ἀρετήν, ἵνα φανερωθῇ,
comme dans le cas de Job ; 2) pour écarter l'orgueil,
comme dans le cas de Paul (citation de II *Cor.* 12, 7).
   Ce texte de Pallade se retrouve dans un fragment
exégétique sur *Matth.* 27, 5 (mort de Judas) attribué à
JEAN DAMASCÈNE dans la chaîne de Nicétas (*PG* 96,
1412 A) ; aux deux causes alléguées par Pallade, dont le
texte est repris littéralement, s'en ajoutent une troisième,
« en vue de la correction d'un autre (πρὸς διόρθωσιν ἄλλου) »,
comme dans le cas de Lazare et du riche, puis une
quatrième, « pour la gloire d'un autre », le Christ, comme
dans le cas de l'aveugle-né, enfin une cinquième, « pour
exciter le zèle d'un autre ». L'auteur, résumant ensuite sa
pensée, distingue deux sortes (εἴδη) de déréliction : l'une,
qui reprend les cinq précédentes en les groupant, est
« économique et éducative » et a pour but, en particulier,
« la correction et le salut » (πρὸς διόρθωσιν καὶ σωτηρίαν) ;
l'autre, qui vient s'y ajouter, est « parfaite et désespérée »,
donc définitive, comme dans le cas de Judas.
   Ces différents textes peuvent aider à expliquer le
chapitre d'Évagre, à en fixer la teneur et en établir le

texte, tâche délicate étant donné les témoignages divergents des versions anciennes.

Cinq causes : S_1 «cinq formes», ܐ‌ܡܘܬܝ‌ܐ, S_2 «les causes», ܠܝ‌ܠܬ‌ܐ, S_3 «les cinq principes», ܝ‌ܝܐ; *Arm.* «(les défaillances) de cinq ordres», կարգք. Le texte grec avait probablement αἰτίαι, attesté chez Maxime et chez Pallade, plutôt que εἴδη, que pourraient suggérer S_1 (cf. Frankenberg) et le Ps.-Damascène. Le chapitre concerne les cinq causes, les motifs pour lesquels Dieu use de dérélection et que doit connaître le gnostique dans son rôle de directeur spirituel. S_2 a omis «cinq», se rendant compte sans doute de la difficulté qu'il y a à les dénombrer dans le texte d'Évagre.

La dérélection révèle la vertu cachée, litt. (toutes les versions) «La vertu cachée est révélée par la dérélection», ce qui est la formule même de Pallade, reprise par le Ps.-Damascène, διὰ κεκρυμμένην ἀρετήν, ἵνα φανερωθῇ. A cette première cause, qui est aussi la première chez Pallade, correspond la deuxième dans Maxime IV, 96, celle qui est en vue de la mise à l'épreuve (πρὸς δοκιμήν) et dont Job est donné en exemple; comparer *in Ps.* 36, 25 (Pitra, III, p. 12) : «... Les justes sont soumis à la dérélection (*lege* ἐγκαταλιμπάνονται) pour un temps à cause de la mise à l'épreuve (δοκιμῆς χάριν). Le Seigneur dit à Job : Ne crois pas que j'en aie usé envers toi autrement que pour que tu apparaisses juste (*Job*, 40, 8 *Sept.*)».

Rétablit par le châtiment : le secours divin «est retiré au temps de la tentation, soit pour la mise à l'épreuve (πρὸς δοκιμήν) de celui qui est tenté, soit pour son châtiment (πρὸς κόλασιν)», lit-on dans *in Ps.* 37, 12 (*PG* 12, 1368 B). Sur l'effet bienfaisant du châtiment divin et de l'affliction, comparer la fin de la lettre 42 (Frankenberg, p. 594, avec citation de *Rom.* 5, 3-4). Cette deuxième cause, qui vise au repentir par le moyen du châtiment, correspond à la quatrième de Maxime IV, 96.

Devient cause de salut pour d'autres, texte de S_1 et S_3; S_2

« pour beaucoup » ; *Arm.* omet « pour d'autres ». Rapprocher
Ps.-Damascène : πρὸς διόρθωσιν ἄλλου et πρὸς διόρθωσιν καὶ
σωτηρίαν.

Quand la vertu est devenue prééminente : cette traduction
suppose dans le texte original un génitif absolu, προηγου-
μένης (ou πρωτευούσης) τῆς ἀρετῆς, qui a été mal compris par
S_2 S_3 et *Arm.*, « si elle (= la déréliction) est antérieure à la
vertu » ; ou peut-être faut-il supposer que ces trois traducteurs avaient προηγουμένη (ou πρωτεύουσα), un nominatif au
lieu du génitif, « Quand elle est première par rapport à la
vertu… » ; S_1 semble avoir mieux compris, mais glose le
texte : « Quand la vertu des actions (= la pratique) se
trouve avec la science ». Comparer la troisième cause en
MAXIME II, 67 : « … pour que, progressant dans la
vertu… » : la déréliction remède à l'orgueil et invitation à
l'humilité.

Elle enseigne l'humilité : que la déréliction enseigne
l'humilité est une idée fréquemment exprimée par Évagre,
cf. *in Ps.* 89, 3 (Pitra, III, p. 167) : « C'est alors que Dieu
'tourne' l'homme vers l'humilité, quand il le délaisse (*lege*
ἐγκαταλίπῃ) dans le péché » ; *Huit esprits* 18 (1164 A) : « C'est
une grande chose que l'homme secouru par Dieu : il a été
délaissé (ἐγκατελείφθη) et il a connu la faiblesse de sa
nature » ; cette déréliction atteint spécialement celui qui, à
cause de sa vertu, peut être tenté par l'orgueil, cf. *ibid.* 17
(*ibid.* 1161 D) : « L'âme de l'orgueilleux est délaissée
(ἐγκαταλιμπάνεται) par Dieu et devient le jouet des
démons » ; *Moines* 62 : « Ne livre pas ton cœur à l'orgueil…
de peur que le Seigneur ne délaisse (ἐγκαταλίπῃ) ton âme et
que les démons pervers ne l'humilient ». Comparer la
troisième cause dans MAXIME IV, 96 et II, 67, ce qui est la
deuxième chez Pallade et le Ps.-Damascène.

En effet il hait le mal : « en effet », attesté par toutes les
versions sauf *Arm.*, s'explique par une formule sous-
entendue, comme « Cinquième cause : elle inspire la haine
du mal ». Cette expression forme le premier terme d'un

sorite, type d'argumentation qu'Évagre paraît affection-
ner, cf. *TP*, prologue 47-51. Comparer *in Ps.* 24, 20 (*PG* 12,
1273 A), où Évagre reprend le sorite de *Rom.* 5, 3-4, en en
inversant les termes : «L'espérance ne déçoit pas, car elle
est fille de l'épreuve (θυγάτηρ δοκιμῆς) et l'épreuve est
rejeton (ἔγγονος) de la persévérance et la persévérance naît
des afflictions, ce à quoi conduisent les vertus, que suit la
science de Dieu». Comparer aussi *Pensées* 10 (1212 C),
texte qui explique toute la fin de ce chapitre : «La haine
que nous portons aux démons contribue beaucoup à notre
salut et elle est favorable à la pratique de la vertu ; mais
nous n'avons pas la force de la nourrir en nous-mêmes
comme une bonne semence, parce que les esprits amis du
plaisir la détruisent et invitent l'âme à revenir à son
attachement habituel ; mais cet attachement, ou plutôt
cette gangrène difficile à guérir, le médecin des âmes la
soigne par la déréliction (δι' ἐγκαταλείψεως) ; il nous laisse,
en effet, endurer quelque terreur causée par eux, de nuit et
de jour, et alors l'âme revient à la haine primordiale, ayant
appris à dire au Seigneur, selon David : 'Je les ai haïs
d'une haine parfaite, ils sont devenus pour moi des
ennemis' (*Ps.* 138, 22). Voici, en effet, celui qui hait ses
ennemis d'une haine parfaite : celui qui ne pèche ni en acte
ni en pensée, ce qui est le signe de la première et la plus
grande impassibilité».

Fille de l'impassibilité : l'argumentation en forme de
sorite, dont c'est ici le dernier terme, et *Pensées* 10, cité ci-
dessus, obligent à rattacher cette expression à ce qui
précède, au lieu d'y voir l'énoncé d'une autre cause ou
forme de déréliction, comme l'a fait MAXIME II, 67 (4ᵉ et
5ᵉ causes), suivi par Hausherr. Celui qui est parvenu à
l'impassibilité peut connaître encore la déréliction, qui a
pour but de lui faire expérimenter, puis haïr, le mal et, par
là, de le faire progresser jusqu'à la plus grande impassibilité, laquelle suppose une haine parfaite du mal, comme il
est dit dans *Pensées* 10. L'expression «fille de l'impassibili-

té», appliquée à la déréliction, ne laisse pas de surprendre, étant donné l'usage qu'Évagre fait ailleurs de cette expression, cf. *TP*, prologue 49-50, et ch. 81 (à propos de la charité). Cette difficulté explique peut-être les divergences des traducteurs : en face de S_1 «fille de l'impassibilité» et de S_2 «fille de la santé de l'âme», *Arm.* a «fille des passions» (chute accidentelle d'un préfixe négatif ou correction intentionnelle?); S_3 «fille de la désobéissance» suppose une lecture ἀπείθεια au lieu de ἀπάθεια de la part du traducteur ou, plus vraisemblablement, du copiste du texte grec dont il disposait. La *lectio difficilior* est imposée par le témoignage, non seulement des versions S_1 et S_2 (et, partiellement, *Arm.*), mais aussi de Maxime et du passage cité de *Pensées* 10.

Il y a chez Évagre une doctrine élaborée de la déréliction (outre les textes cités, voir aussi, entre autres, *Antirrhétique* 5, 8; *in Ps.* 70, 11 (Pitra, III, p. 90); 88, 46 (*PG* 12, 1549 C); 93, 18 (*ibid.*, 1553 CD; *Prière* 37, avec le commentaire d'Hausherr, *Traité de l'oraison*, p. 38). Dans quelle mesure Évagre peut-il être considéré comme étant à l'origine de cette doctrine, reprise, après lui et apparemment d'après lui, par Pallade, Maxime et le Pseudo-Damascène? Le texte de Pallade cité ci-dessus peut donner à penser qu'Évagre tenait cette doctrine de Paphnuce surnommé Képhalas. Mais celui-ci a-t-il réellement tenu le discours que lui prête Pallade? De son côté, Cassien, dans la IIIᵉ de ses *Conférences*, prétend rapporter un long discours qu'aurait tenu, devant lui et Germain, Paphnuce dit le Bubale, prêtre de Scété (qu'il faut très probablement distinguer du précédent, qui vivait, semble-t-il, aux Kellia), dans lequel (§ 20, éd. Pichery, *SC* 42, p. 163) on retrouve presque littéralement certaines phrases du texte qui se lit chez Pallade. Comme le pensait Butler, qui a relevé ces correspondances (*op. cit.* p. 224-225), Cassien a, selon toute vraisemblance, emprunté à Pallade, attribuant seulement à Paphnuce le Bubale ce que ce

< κθ´ >

Οἱ διδασκόμενοι λεγέτωσάν σοι ἀεὶ τό· φίλε προσανάβηθι ἄνω[1]· αἰσχρὸν γάρ ἐστιν ἀναβάντα σε πάλιν ὑπὸ τῶν ἀκουόντων κατενεχθῆναι.

< λ´ >

Φιλάργυρός ἐστιν οὐχ ὁ ἔχων χρήματα, ἀλλ᾿ ὁ ἐφιέμενος τούτων· τὸν γὰρ οἰκονόμον εἶναί φασι βαλάντιον λογικόν.

---

29. Adest in JLKM

1 Οἱ : Αἱ K^rub   om. M ‖ σοι om KM

30. Adest in JLKM Ps. Nilo

1 ἐστιν om. Ps. Nilus ‖ post χρήματα add. πάντως Ps. Nilus ‖ 1-2 ἐφιέμενος τούτων : φιλῶν αὐτὰ καὶ τῆς τούτων ὀρεγόμενος κτήσεως Ps. Nilus ‖ 2 a τὸν usque ad λογικόν om. Ps. Nilus

---

dernier attribuait à son homonyme ; son témoignage ne saurait donc prouver l'authenticité du discours rapporté par Pallade. Il est fort possible que celui-ci ait fait exposer par Paphnuce, qu'il dit «très gnostique», — et de façon incomplète, puisque deux causes de déréliction sont seulement retenues — la doctrine de son maître Évagre.

Évagre lui-même a pu trouver chez ORIGÈNE les éléments de la doctrine qu'il a élaborée : voir le texte allégué par Hausherr (*art. cit.*, p. 111), *Des Principes* III, 1, 12, (éd. Crouzel-Simonetti, *SC* 268, p. 68-76 ; voir aussi le début du paragraphe suivant : «Celui qui est délaissé est délaissé en vertu d'un jugement divin ...»).

Il ne convient pas de retenir un texte dont le titre fait mention d'Évagre dans certains manuscrits de l'édition arménienne de Sarghisian (p. 385) et qui est mis en rapport

29

Que ceux que tu instruis te disent toujours : « Ami, monte plus haut[1] ». Il serait honteux, en effet, qu'après être monté, tu sois ramené vers le bas par tes auditeurs.

30

Avare est, non celui qui a de l'argent, mais celui qui en désire. Car l'économe, dit-on, est une bourse raisonnable.

1. Lc 14, 10

avec le présent chapitre sur la déréliction ; ce texte n'est, en réalité, qu'un fragment d'Irénée où le nom d'Évagre a été introduit par suite d'une série de confusions, comme l'a démontré, avant Hausherr, H. Jordan, *TU* 36, 3ᵉ série, 6, 3, Leipzig 1913, p. 1-3 et 40-55.

29. Les versions sont, en général, fidèles au texte grec, si ce n'est que *S₁* glose « après être monté dans ton enseignement » et que *Arm.* traduit assez librement la dernière phrase et omet « par tes auditeurs ».

Toujours la même règle d'or de l'enseignement : rester au niveau des auditeurs et ne s'élever qu'au fur et à mesure qu'ils en expriment le besoin.

Il serait honteux en effet : formule inspirée par le contexte de la citation de Luc : « et qu'avec honte (μετ' αἰσχύνης) tu n'occupes la dernière place » (verset 9).

30. Ce chapitre est reproduit, assez librement et incomplètement, dans la compilation du Pseudo-Nil, *Huit pensées de malice*, chapitre sur l'avarice (*PG* 79, 1452 C), cf. Introd., p. 49-50.

Celui qui en désire : Ps.-Nil « Celui qui l'aime et en désire l'acquisition ». L'expression est développée pareillement

dans les versions : S_1 «celui qui en désire l'acquisition
(texte de tous les mss, sauf *Add. 14578*= Frankenberg, qui
a «l'acquérir»), S_3 «qui désire l'acquérir», S_2 «celui qui
l'aime (*Add. 17165* «qui aime») et s'applique à l'acquérir»,
Arm. «celui qui désire et souhaite l'acquérir». Cet accord,
si frappant qu'il soit, ne saurait inviter à préférer le texte
du Ps.-Nil à celui des mss JLKM : amplification et
paraphrase sont aussi bien le fait des citations faites par le
Ps.-Nil (cf. *SC* 170, p. 313) que des versions.

Cette définition de l'avare est d'origine scolaire, cf.
Aristote, *Éthique à Eudème* III, 4, 1232 a : «L'avare
(φιλάργυρος) est celui qui a la passion de l'argent, mais pour
qui l'argent est objet d'acquisition (τῆς κτήσεως) plutôt que
d'usage selon les circonstances». Comme Aristote, Évagre
oppose à celui qui est avare, parce qu'il désire posséder de
l'argent, celui qui détient l'argent pour en faire usage, ce
que fait l'économe.

Car l'économe : la présence d'économes est bien attestée
parmi les moines de Nitrie, des Kellia et de Scété ; d'après
Pallade, *Histoire lausiaque*, ch. 10, Pambô avait un
économe, auquel il remit l'argent que lui avait donné
Mélanie, en lui disant de le prendre et de le distribuer
(οἰκονομεῖν) à des monastères pauvres ; Évagre lui-même,
d'après la recension copte du même ouvrage, confiait à
l'économe qui vivait auprès de lui l'argent qu'il recevait de
ses nombreux visiteurs (cf. ci-dessus, note au ch. 24,
p. 127) ; voir aussi *Apophthegmata Patrum*, Anoub 1, *PG* 65,
129 C, et Cassien, *Institutions cénobitiques* IV, 40, éd.
Guy, *SC* 109, p. 254-255. L'économe avait pour fonction,
non seulement d'administrer les biens de la communauté,
mais aussi de faire des distributions aux pauvres (voir les
définitions du mot que donne Isidore de Péluse, *Lettres*
I, 269, et V, 301, *PG* 78, 341 C et 1512 D) ; cette fonction

de l'économe explique la paraphrase de S_2 «celui qui possède l'argent et l'administre avec piété» et de *Arm.* «celui qui est généreux en le distribuant». Encore faut-il que cette générosité ne soit pas feinte! Décrivant dans *Pensées* 12 les ruses du démon de l'avarice, Évagre montre le moine qui se fait complaisamment «économe et ami des pauvres», accueillant généreusement les étrangers, envoyant des secours à ceux qui sont dans le besoin..., etc. Sur la manière dont doit se comporter l'économe, voir *Moines* 74-76.

Dit-on : allusion peut-être à une appellation, non dénuée d'humour, qui avait cours parmi les moines du désert ; on a un emploi analogue de φασί dans *in Ps.* 90, 6 (voir la note à *TP* 12). On ne peut retenir le sujet donné à ce verbe dans le texte de Frankenberg, حكيماً, «les raisonnables (= les spirituels) l'appellent bourse raisonnable»; ce mot, absent de la moitié des manuscrits de S_1, résulte manifestement d'une dittographie.

Bourse raisonnable, c'est-à-dire douée de raison, s'agissant d'un homme (cf. ζῶον λογικόν, animal raisonnable, homme). Cette seconde phrase justifie la définition contenue dans la première : on appelle l'économe «bourse», ce qui prouve que l'on peut détenir de l'argent sans être avare, d'autant plus que l'économe a pour fonction, non seulement d'administrer, mais aussi de distribuer.

Dans ce chapitre cependant il ne s'agit pas, en réalité, de l'économe au sens propre du mot, mais du gnostique dont l'économe est comme la figure : le gnostique possède la science, mais il doit la distribuer, cf. *KG* V, 33, où «économe» est dit «le maître (didascale) des autres», et *in Prov.* 17, 2 (sch. 153, p. 248-249) : «quiconque a rejeté la malice et a dominé par les vertus les démons..., un tel homme deviendra aussi 'économe des mystères de Dieu' (*I Cor.* 4, 1), distribuant à chaque frère la science spirituelle convenant à son état»; voir aussi *in Ps.* 111, 5 (*PG* 12, 1572 A).

< λα′ >

Γέροντας μὲν θυμοῦ, τοὺς δὲ νέους γαστρὸς κρατεῖν παρακάλει· τοὺς μὲν γὰρ οἱ ψυχικοί, τοὺς δὲ ἐπὶ πλεῖστον οἱ σωματικοὶ διαμάχονται δαίμονες.

---

31. Adest in JLKM Ps. Nilo

1 Γέροντας — κρατεῖν : Χρὴ τοὺς μὲν γέροντας θυμοῦ κρατεῖν γαστρὸς δὲ τοὺς νέους Ps. Nilus ‖ 2 παρακάλει om. Ps. Nilus ‖ τοὺς[1] ... τοὺς[2] : τοῖς ... τοῖς Ps. Nilus ‖ ἐπὶ πλεῖστον : μᾶλλον Ps. Nilus ‖ 3 post σωματικοὶ transp. δαίμονες Ps. Nilus ‖ διαμάχονται : διαδέχονται KM ἐπιτίθενται Ps. Nilus

---

31. Comme le précédent, ce chapitre est reproduit dans le traité des *Huit pensées de malice* du Pseudo-Nil ; il y est cité complètement, mais remanié quant au style : « Il faut que les vieillards maîtrisent leur irascibilité et les jeunes gens leur ventre ; aux premiers en effet s'attaquent les démons psychiques, aux autres plutôt les démons corporels» (*PG* 79, 1441 A).

Les versions sont fidèles au texte grec, si ce n'est que S_1 et S_3 ont «passions» au lieu de «démons». Cette substitution s'explique, car «démons psychiques» et «démons corporels» sont des expressions brachylogiques pour «démons qui président aux passions psychiques», «démons qui

31

*Invite les vieillards à maîtriser leur irascibilité, et les
jeunes gens leur ventre. Les premiers, en effet, ont à lutter
contre les démons psychiques, les autres, la plupart du
temps, contre les démons corporels.*

président aux passions corporelles». Sur la distinction
entre «passions de l'âme» et «passions du corps», voir *TP*
35 et la note *ad loc*. Évagre rapporte les passions de l'âme à
la partie irascible, celles du corps à la partie concupiscible,
dénommée ici «ventre» : voir la note à *TP* 38. La double
recommandation qu'Évagre fait ici au gnostique directeur
spirituel s'explique parce que les démons «qui président
aux passions de l'âme persistent jusqu'à la mort», tandis
que «ceux qui président à celles du corps se retirent plus
rapidement», comme il est dit dans *TP* 36; voir aussi
lettre 25 (Frankenberg, p. 582) : «Les pensées qui viennent
des passions du corps durent peu de temps, mais l'envie
et la colère (passions de l'âme) persistent jusqu'à la
vieillesse».

Ont à lutter contre les démons, litt. «les démons combat-
tent», διαμάχονται; la leçon διαδέχονται des mss KM est
peut-être celle du texte qu'avait *Arm.*, qui traduit : «qui se
succèdent contre eux»; pour cet emploi de διαδέχομαι, voir
par ex., *TP* 59. Les trois versions syriaques ont «combat-
tent», leçon en faveur de laquelle est aussi le terme
synonyme ἐπιτίθενται du Ps.-Nil.

< λβ′ >

Ἔμφραττε στόματα τῶν καταλαλούντων ἐν ἀκοαῖς σου · καὶ
μὴ θαυμάσῃς ὑπὸ πλείστων κατηγορούμενος · οὗτος γὰρ ὁ
πειρασμὸς ἐκ δαιμόνων · τὸν γὰρ γνωστικὸν ἐλεύθερον εἶναι δεῖ
μίσους καὶ μνησικακίας, καὶ μὴ βουλομένων.

---

32. Adest in JLKM

1 στόματα : στόμα KM ‖ 4 βουλομένων e versionibus correximus :
βουλόμενον codd.

---

32. Dans l'édition de Frankenberg ce chapitre est
rattaché au précédent sous le même numéro 135.

Ceux qui déblatèrent à tes oreilles : S_1 ajoute «contre leurs
compagnons», addition supprimée par S_3 ; S_2 traduit «ceux
qui devant toi se calomnient les uns les autres»; *Arm.*,
comme S_3, traduit exactement le texte grec. Le complément sous-entendu est le gnostique lui-même.

Une tentation : S_1 ajoute «des gnostiques» (au singulier
dans plusieurs mss).

Il faut en effet : cette dernière phrase se présente
autrement, surbordonnée à la précédente, dans les trois
versions syriaques : «... des démons qui (S_2 «parce qu'ils»)
ne veulent pas que le gnostique (S_1 «l'homme parfait») soit
exempt de haine et de rancune». La proposition indépendante avec δεῖ est cependant bien attestée, non seulement
par les manuscrits grecs, mais aussi, plus anciennement,
par *Arm.* : «Il faut et il convient (traduction habituelle de

32

*Ferme la bouche à ceux qui déblatèrent à tes oreilles et ne
t'étonne pas d'être blâmé par beaucoup, car c'est là une
tentation qui vient des démons. Il faut en effet que le
gnostique soit exempt de haine et de rancune, ne leur en
déplaise !*

δεῖ) que le gnostique soit exempt de haine et de rancune,
(eux) qui n'aiment pas cela »; le traducteur a été manifestement gêné par l'emploi du génitif absolu avec ellipse du
sujet (sur ce tour, voir J. N. MADVIG, *Syntaxe de la langue
grecque*, p. 244, § 181 Rem. 4a). C'est cette même difficulté
qui a amené les traducteurs syriaques à changer la syntaxe
de la phrase, à moins qu'ils n'aient eu un texte grec déjà
altéré.

Ne leur en déplaise, litt. « même eux ne voulant pas ». Le
texte donné par les manuscrits dit : « même lui ne voulant
pas », « ne lui en déplaise ». Le témoignage unanime des
versions, y compris *Arm.*, invite à corriger βουλόμενον en
βουλομένων, ce qui offre un sens plus satisfaisant.

Peut-être y a-t-il dans ce chapitre un écho de l'hostilité
à laquelle Évagre et ses amis furent en butte, au désert, à
cause de leurs opinions « origénistes », cf. Introd., p. 35.
Même recommandation de ne pas répondre aux contradictions et de ne pas s'en irriter, dans *Prière* 12 ; tentation des
démons qui provoquent des calomnies contre le gnostique
afin de l'irriter et de le priver de la contemplation, cf.
KG III, 90 (texte grec dans MUYLDERMANS, *Evagriana*,
p. 59). Mise en garde contre la colère chez le gnostique,
voir ci-dessus, ch. 5 et ch. 10 (avec le texte des *Disciples
d'Évagre* cité en note).

< λγ' >

Λέληθεν ἴσως ἑαυτὸν θεραπεύων ὁ διὰ τὸν Κύριον τοὺς
ἀνθρώπους ἰώμενος · ὃ γὰρ προσάγει φάρμακον ὁ γνωστικός,
τὸν μὲν πλησίον ἐνδεχομένως, ἑαυτὸν δὲ <ἀναγκαίως> ἰᾶται.

---

33. Adest in JLKM

3 ἐνδεχομένως : ἐνδεχόμενος KM ‖ ἀναγκαίως e versionibus restituimus : μᾶλλον ἐκείνου JLKM

---

33. *A son insu* : ici encore (cf. ci-dessus, ch. 6), les
traducteurs (à l'exception de *S₃* « Il lui échappe qu'il se
guérit lui-même ») ont eu quelque embarras pour rendre la
construction de λανθάνω suivi d'un participe : *S₁* « fait
entrer silencieusement la guérison en lui-même », *S₂* « qu'il
sache que c'est à lui-même d'abord qu'il rend service » ;
Arm. rattache cette phrase aux derniers mots du chapitre
précédent : « ... car peut-être ne peuvent-ils pas se rendre
compte de la guérison ».

Guérit les hommes : *S₂* ajoute « par l'enseignement », pour
bien montrer qu'il s'agit en réalité du gnostique plutôt que
du médecin.

Autant qu'il est possible ... nécessairement : au texte des
manuscrits grecs μᾶλλον ἐκείνου, « plus que celui-là », qui
offre un parallélisme peu satisfaisant avec ἐνδεχομένως, il
faut préférer celui des versions, qui semblent avoir lu
ἀναγκαίως : *S₁* et *S₃* « il guérit le prochain autant qu'il est

33

A son insu, celui qui guérit les hommes à cause du
Seigneur se soigne également lui-même; car le remède
qu'applique le gnostique guérit son prochain autant qu'il
est possible, mais lui-même nécessairement.

possible, mais son âme (= lui-même) nécessairement» (S_1
ajoute «tout entière»), S_2 «aux autres il est profitable ou
non, mais il ramène à la santé son âme diligemment», *Arm.*
«le prochain sans doute, mais aussi il se guérit lui-même
effectivement». On a la même opposition entre ἐνδεχομένως
et ἀναγκαίως dans *in Prov.* 19, 11 (sch. 194, p. 288); elle
provient de la tradition scolaire : pour Aristote, voir
l'*Index Aristotelicus* de BONITZ, p. 249 a, pour les stoïciens,
VON ARNIM, *SVF* II, p. 279, n° 961.

Le gnostique est comparé à un médecin, car il a charge
de guérir les passions, qui sont des maladies de l'âme, afin
de rétablir la «santé de l'âme», c'est-à-dire l'impassibilité
(cf. *TP* 56 avec la note *ad. loc.*). Pour cette comparaison
voir *Maîtres et disciples*, p. 78, 30-35 (texte cité ci-dessus,
sous le ch. 5) et *Disciples d'Évagre* 155 (texte cité ci-dessus
sous le ch. 23). En agissant ainsi, le gnostique se conforme
au Christ qui est dit «le médecin des âmes» dans *Pensées* 3
(1204 B) et 10 (1212 C). La comparaison avec le médecin et
l'art médical est banale, notamment chez Origène, et déjà
chez CLÉMENT D'ALEXANDRIE (cf. *Pédagogue* I, 2, 6).

Avec ce chapitre comparer *Lettres* 47 (Frankenberg,
p. 596) : «Moi, je sais que la science de Dieu, quand elle
nourrit, est elle-même nourrie et, quand elle donne, elle
reçoit», et ci-dessus ch. 9 ainsi que le texte de *Exhortation*
aux moines cité en note.

< λδ′ >

---

34. Deest graece

---

34. *Tout ce qui se prête à l'allégorie* : S_1 «Toutes les paroles qui sont aptes aux allégories», S_3 «Tout ce qui est lié à l'allégorie», S_2 «Tout ce qui est propre au mystère», *Arm.* «Tout ce qui se présente pêle-mêle»; peut-être en grec : πάντα οἷα ἀλληγορίαν ἐπιδέχεσθαί ἐστι (cf. ORIGÈNE, *Contre Celse* IV, 49).

Au sujet, S_1; S_3 «à la chose», S_2 «aux choses», grec probable : πρᾶγμα. *Arm.* Լ֊ա, «ordre (de l'exposé)», a, semble-t-il, lu τάγμα au lieu de πρᾶγμα.

Sur le bateau de Jonas, texte de S_3; les autres versions ont cru bon d'ajouter un verbe : S_1 «dissertant sur ...», S_2 «assis sur ...», *Arm.* «séjournant sur ...».

Chacun de ses agrès : les versions syriaques ont ܪܟܣܐ (*Arm.* ոնրոֆ), équivalent habituel du grec τὰ σκεύη. Dans *Jonas* 1,5 l'expression τῶν σκευῶν τῶν ἐν τῷ πλοίῳ semble désigner la cargaison (de même dans *Pensées* 3, 1204 A); mais ici le contexte invite à penser qu'Évagre entend plutôt, par ce mot, les agrès du bateau.

Comme au ch. 21, Évagre pose ici les limites de l'exégèse allégorique : il ne faut pas chercher une explication

34

*Tu n'interpréteras pas spirituellement tout ce qui se
prête à l'allégorie, mais seulement ce qui convient au sujet ;
car si tu n'agis pas ainsi, tu passeras beaucoup de temps
sur le bateau de Jonas[m], à expliquer chacun de ses agrès.
Et tu feras rire les auditeurs au lieu de leur être utile : tous
ceux qui seront assis autour de toi te rappelant tel ou tel
agrès et produisant, en riant, celui que tu auras oublié.*

m. Jonas 1, 5

allégorique à tous les détails du texte scripturaire. C'était
là une question débattue ; la position prise ici par Évagre
est analogue à celle de SAINT JÉRÔME critiquant, dans son
Commentaire d'Ézéchiel (VIII, *PL* 25, 263 B), ceux qui
donnaient une interprétation allégorique pour chacun des
membres de l'équipage des navires se rendant à Tharsis (cf.
Éz. 27, 25-28) ; Y.-M. DUVAL (*Vigiliae Christianae*, 20
[1966], p. 100-101) pense que la critique de Jérôme visait
Origène. Pour celui-ci, en effet, tout mot de l'Écriture doit
avoir un sens spirituel : « Tout ce qui est écrit est mystère »,
Homélies sur la Genèse X, 2, éd. Doutreleau, *SC* 7 bis,
p. 260 (voir d'autres textes cités par J. DANIÉLOU, *Origène*,
Paris 1948, p. 182-183). Mais la critique d'Évagre peut
s'adresser, d'une façon plus générale, à des méthodes
remontant à l'exégèse allégorique païenne : comparer
CLÉMENT D'ALEXANDRIE, *Stromates* V, IX, 58, 6 : « Toutefois ni les dogmes de la philosophie barbare, ni les mythes
pythagoriciens, ni même ceux de Platon ... (exemples)... ne
doivent être entendus allégoriquement dans tous leurs
mots absolument, mais seulement dans les expressions qui
signifient la pensée globale, et c'est là que nous pouvons
trouver ce qui, par des symboles, est indiqué sous un voile,
l'allégorie » (éd. Le Boulluec-Voulet, *SC* 278, p. 118-121).

< λε′ >

λϛ′

Λανθανέτω τοὺς κοσμικοὺς καὶ τοὺς νέους ὁ περὶ κρίσεως
ὑψηλότερος λόγος, γεννῶν ῥᾳδίως τὴν καταφρόνησιν· οὐ γὰρ
ἴσασιν ὀδύνην ψυχῆς λογικῆς καταδικασθείσης τὴν ἄγνοιαν.

---

35. Deest graece
36. Adest in Kᵐᵍ et apud Œcumenium

1 τοὺς κοσμικοὺς καὶ τοὺς νέους : τοὺς νεωτέρους καὶ τοὺς κοσμικοὺς
Œcumenius ‖ κρίσεως : κολάσεως Κ ‖ 2 a γεννῶν usque ad καταφρόνησιν
om. Œcumenius ‖ 3 ἴσασιν : οἴδασιν Κ ‖ ὀδύνην : πόνον Œcumenius

---

35. *Invite* : $S_1 S_2 S_3$ ܐܡܪ, «persuade», *Arm.*
ῦխρթωրէ ugէu, «tu exhorteras» (litt. «tu consoleras»), probablement grec παρακάλει, comme au ch. 31.

A parler : S_1 ajoute «chacun avec toi». Le texte évoque
en effet des visites individuelles, plutôt que collectives.

Sur l'éthique : S_1 «sur les formes de la crainte de Dieu et
des conduites de la vertu», S_2 «sur la foi», S_3 «sur
l'exhortation», *Arm.* «sur l'habitude», ce qui suppose en
grec περὶ ἠθικῆς (cf. ci-dessus, ch. 20).

Sur les doctrines : S_1 «sur la doctrine de la science de
Dieu», S_2 «sur la recherche», S_3 «sur les doctrines»; *Arm.* a
le mot ζημωն (usuellement «commandement»), qui, au
ch. 13, traduit δόγμα (de même en *TP* 1); le texte grec
avait donc ici περὶ τῶν δογμάτων; par ce mot il faut
entendre, non pas les «dogmes» de foi, mais les doctrines
qui, relevant de la physique et de la théologie, peuvent
être objet de libre recherche, ce qu'a bien compris S_2.

35

Invite les moines qui viennent chez toi à parler sur
l'éthique, mais non sur les doctrines, à moins qu'il ne se
trouve quelqu'un qui puisse s'adonner à de telles matières.

36

Que reste cachée aux séculiers et aux jeunes gens la
raison la plus haute concernant le jugement, car elle
engendre facilement le mépris ; ils ne connaissent pas, en
effet, la souffrance de l'âme raisonnable condamnée à
l'ignorance.

De telles matières, ὕλαι : le mot est donné par *Arm.*,
Հիթաանիւթք et par S_3 ܪܟܐܠ (sing.). Il est rendu
librement par S_1 « qui puisse parler dans une certaine
mesure aussi sur cela », et surtout par S_2 « qui puisse se
tendre vers cette hauteur de doctrine ».

A rapprocher des ch. 13 et 36.

36. Le texte grec de ce chapitre nous est parvenu par
deux voies différentes : une citation qui en est faite,
incomplètement, sous le nom même d'Évagre, dans le
Commentaire d'Oecumenius sur l'Apocalypse (cf. Introd.,
p. 49) et, d'autre part, par une note marginale dans le
manuscrit de Vienne (K), qui présente l'avantage de
donner, non seulement un texte complet, mais aussi — fait
unique dans la tradition grecque — le numéro du chapitre
(cf. Introd., p. 44-45 et 82).

Aux séculiers et aux jeunes gens : tel est l'ordre de ces
mots dans K et aussi dans toutes les versions. S_1 (tous
les manuscrits, sauf *Add. 14581*) a « aux adolescents et aux

jeunes»; même faute ܡܥܠܝܡܐ pour ܡܥܠܝܐ qu'au ch. 13 ci-dessus. Cette faute se retrouve dans une citation libre que fait, d'après S_1, PHILOXÈNE DE MABBOUG dans sa *Lettre à Patrice d'Édesse* (éd. Lavenant, *PO* 30, p. 854); certains manuscrits ont cependant ܡܥܠܝܐ : telle était peut-être la leçon primitive de S_1.

La raison, le *logos*, c'est-à-dire la théorie relative à la destinée des êtres raisonnables, incompréhensible pour ceux qui ne sont pas encore suffisamment purifiés par la pratique ; sur les raisons de la providence et du jugement (cf. Philoxène : «Les paroles concernant la providence et le jugement de Dieu»), voir, plus loin, ch. 48.

Le jugement, texte d'Oecumenius et aussi des versions syriaques, ܕܝܢܐ. *Arm.* «les tourments» paraît avoir lu κολάσεως comme dans K.

Le mépris, texte de K et aussi de *Arm.* Les versions syriaques, $S_1 S_3$ «relâchement», S_2 «négligence», ont, sans doute pour plus de clarté, remplacé le «mépris» par ce qui en est la conséquence dans la vie morale. L'absence dans le texte d'Oecumenius du membre de phrase contenant ce mot est peut-être d'origine accidentelle, car, dans les lignes qui introduisent la citation d'Évagre, Oecumenius, paraissant se référer à ce mot «mépris», explique que, s'il faut «mettre un sceau» sur ce qui est révélé touchant le jugement dernier, comme il est dit en *Apoc.* 10, 4-7, c'est pour la raison que les châtiments inspirés par la bonté de Dieu risquent de paraître aux hommes trop légers et «facilement méprisables» (εὐκαταφρόνητοι). Comparer PLATON, *Lettre VII* 341 de : exposer devant la foule les hautes et salutaires vérités qui sont accessibles seulement à un petit nombre ne peut qu'engendrer chez les hommes un injuste «mépris», καταφρόνησις (éd. J. Souilhé, «Les Belles-Lettres», p. 51).

La souffrance : toutes les versions appuient la leçon ὀδύνην de K.

Condamnée à l'ignorance : S_3 s'est mépris sur la syntaxe de cette dernière phrase, en voyant dans τὴν ἄγνοιαν, non pas le complément de καταδικασθείσης, mais le prédicat d'une proposition infinitive : « Ils ne savent pas, en effet, que la souffrance de l'âme raisonnable qui a été condamnée est l'ignorance ». L'ignorance est la rétribution des méchants, comme la science est celle des bons, idée fréquemment exprimée par Évagre ; voir, par exemple, *KG* VI, 57 : « La rétribution que recevra la nature raisonnable devant le tribunal du Christ, ce sont les corps spirituels ou ténébreux, et la contemplation ou l'ignorance qui leur sont appropriées... » (voir aussi II, 79 et IV, 53). Mais le bonheur que procure la science n'est compréhensible que pour celui qui l'a goûté, cf. *TP* 32 et les textes cités en note, en particulier *KG* III, 64, cité ci-dessus, sous le ch. 25.

Comparer ORIGÈNE, *Contre Celse* VI, 26 (éd. Borret, *SC* 147, p. 242-245) : « Ce que l'on pourrait dire sur la question (de la géhenne) ne peut être exposé à tous et reste hors de propos. Il ne serait même pas sans danger de confier à l'écriture l'élucidation de cette matière : la plupart n'ont pas besoin de savoir autre chose que le châtiment des pécheurs ; il n'est pas utile d'aborder les vérités qui les dépassent, à cause de ceux que la crainte du châtiment éternel retient à peine pour un temps hors du flot du mal et des fautes qui en proviennent ». Évagre lui-même, quand il écrit pour les débutants, évoque, conformément aux représentations traditionnelles, les supplices infernaux, dans *Bases* 9 (*PG* 40, 1261 BC).

< λζ' >

Ὁ ἅγιος Παῦλος ὑποπιάζων ἐδουλαγώγει τὸ σῶμα[n] · μὴ
ἀμελήσῃς οὖν τῆς διαίτης ἐν τῇ ζωῇ σου καὶ μὴ καθυβρίσῃς τὴν
ἀπάθειαν σώματι παχεῖ <ταπεινώσας> αὐτήν.

---

37. Adest in JLKM

2 διαίτης : δουλείας τῆς JLK[ac] ‖ 3 παχεῖ : παχὺ ΚΜ ‖ ταπεινώσας e
versionibus correximus : θανατώσας codd.

---

37. *Saint Paul* : toutes les versions ont le tour : « Si saint
Paul ..., toi ... » ; leur témoignage, bien qu'unanime, ne
saurait obliger à corriger le texte grec en Εἰ ὁ ἅγιος Π. On
retrouvera plus loin, ch. 41 et 46, ce procédé utilisé par les
traducteurs, ou parfois par certains d'entre eux seulement,
pour rendre plus sensible l'articulation logique du chapitre
(cf. *KG* I, 58 « Si mortel est celui qui ..., immortel est
assurément celui qui ... », traduction S_2 du grec : « Mortel
est ce qui ..., mais immortel ce qui ... », MUYLDERMANS,
Evagriana, p. 58, n° 15).

Opprimant : les versions ($S_1 S_3$ Arm. «opprimait», litt.
«foulait», S_2 «affligeait») semblent avoir eu ὑποπιάζω
comme le texte grec conservé, et non ὑπωπιάζω («meur-
trir»), qui se lit dans la plupart des manuscrits de *I Cor.*
9, 27 (cependant la *Peshitta* et la version arménienne
traduisent, comme ici, ὑποπιάζω). Évagre emploie aussi ce
mot, en reprenant le texte de saint Paul, dans *Exhortation
aux moines*, rec. 1., Muyldermans, p. 202, ch. 20 : le texte
édité (d'après *Vat. Barb. Gr. 515*) porte ὑπωπιάζω, mais
certains manuscrits (en particulier le *Γ 93* de la Grande
Laure) ont ὑποπιάζω.

Ton régime, διαίτης, texte du manuscrit K, qui ici corrige
L d'après d'autres témoins (cf. Introd. p. 46) et de M à

37

Saint Paul, opprimant son corps, le réduisait en servitude[n] : toi donc, ne néglige pas ton régime, ta vie durant, et n'outrage pas l'impassibilité en l'humiliant par un corps épaissi.

n. Cf. I Cor. 9, 27

sa suite. Ce texte est confirmé par S_3 «ta nourriture», ܡܣܝܒܪܬܟ, et par S_1 «ton mode de vie», ܕܘܒܪܟ ; *Arm.* «au sujet de la vertu» paraît reposer sur une mauvaise lecture δι' ἀρετῆς au lieu de διαίτης, à moins que ce ne soit simplement une traduction libre de ce dernier mot ; cette leçon semble avoir aussi l'appui de S_2, qui, à son habitude, traite librement le texte : «Si saint Paul affligeait son âme et asservissait son corps par un saint mode de vie (ܕܘܒܪܐ), toi ne néglige pas d'opprimer ton corps...». La leçon δουλείας des manuscrits JL (et K première main) est une faute probablement entraînée par le mot ἐδουλαγώγει qui précède. Le terme «régime» doit être pris au sens étroit de «régime alimentaire», comme ailleurs chez Évagre, cf. *TP* 91 : «Un régime assez sec et réglé, joint à la charité, conduit rapidement le moine au port de l'impassibilité» (voir aussi *Huit Esprits* 1, 1145 B ; *Pensées* 16, 1217 D, et 25, 1229 C).

L'impassibilité : S_2 «la santé de l'âme» (cf. Introd. p. 70).

En l'humiliant : l'unanimité des versions ($S_1 S_2 S_3$ ܡܡܟܟ «humilier», *Arm.* ხდ, litt. «rendre humilié») invite à corriger θανατώσας («en la faisant mourir») en ταπεινώσας, plus satisfaisant pour le sens.

Par un corps épaissi : S_3 et *Arm.* comme le grec ; S_2 «par le poids du corps», S_1 «par un corps non asservi».

Le gnostique, bien que parvenu à une certaine impassibilité, ne peut se dispenser de l'ascèse, en particulier en ce qui concerne la nourriture. L'idée est reprise au chapitre suivant, qui, dans le texte de Frankenberg, est mis sous un même numéro avec celui-ci (n° 140).

< λη' >

Μὴ μεριμνήσῃς περὶ βρωμάτων ἢ ἐνδυμάτων°, ἀλλὰ
μέμνησο τοῦ Ἀϐενὴρ τοῦ λευίτου ὃς τὴν κιϐωτὸν ὑποδεξάμενος
τοῦ Κυρίου, πλούσιος ἐκ πενήτων καὶ ἔνδοξος ἐξ ἀτίμων
γέγονε ᵖ.

---

38. Adest in JLKM

2 λευίτου : λεϐήτου J

---

38. *Abéner* : dans le texte de la *Septante* le personnage
dans la maison duquel l'arche de l'alliance est hébergée, au
cours de son transfert à Jérusalem, après la victoire de
David sur les Philistins, est appelé Abeddara, nom
correspondant à Obed Edom du texte hébreu et de la
Peshitta, repris ici dans les trois versions syriaques ; *Arm.*
l'appelle Tabethar, ce qui s'explique probablement par une
mauvaise lecture de τοῦ Ἀϐεδδαρά. Ce personnage est ici
appelé Abéner, sans doute par suite d'une confusion avec
Abner (*Septante* Ἀϐενήρ ou Ἀϐεννήρ), chef de l'armée de
Saül, rallié ensuite à David (cf. *I Sam.* 14, 50 et *II Sam.* 2
et 3).

Le lévite : dans le texte biblique · Obed Edom est dit
« Guittite » (= de Gath) et de même dans la *Peshitta*, terme
qu'a retenu ici *S₁* « Obed Edom le lévite Guittite ». La
Septante a de même Ἀϐεδδαρὰ τοῦ Γεθθαίου. D'où vient ici
l'appellation de « lévite » ? Probablement par suite d'une
identification de cet Obed Edom avec le personnage du
même nom qui figure dans une liste de lévites en *I Chr.*
15, 18. Cette identification est attestée chez Flavius
Josèphe, *Antiquités juives* VII, 4, 2, qui fait du personnage
chez qui fut remisée l'arche un lévite (ἀνδρὸς δικαίου,
Ὠϐεδάμου ὄνομα, Λευίτου τὸ γένος) ; il est possible qu'Évagre
soit, sur ce point, tributaire de Flavius Josèphe lui-même,
qu'il cite dans *in Ps,* 73, 5 (Pitra, III, p. 98).

38

Ne te soucie pas de la nourriture ou du vêtement^o, mais souviens-toi d'Abéner le lévite, qui, après avoir reçu l'arche du Seigneur, devint riche, de pauvre qu'il était, et renommé, lui qui était méprisé^p.

o. Cf. Matth. 6, 25 = Lc 12, 22   p. Cf. II Sam. 6, 10-11

Devint riche : affirmation fondée sur le texte biblique : « Et le Seigneur bénit toute la maison d'Abeddara et tout ce qu'il avait » (*loc. cit.* verset 11), qui a inspiré S_2 : « ... et le Seigneur le bénit et, de pauvre, il devint riche ... ».

Ne pas se soucier de la nourriture et du vêtement est un conseil qu'Évagre donnait déjà au débutant dans *Bases* ch. 3 et 4 (cf. note au ch. 10, ci-dessus) : le conseil vaut encore pour le gnostique, comme celui qu'il lui donne au chapitre précédent. Mais le gnostique a plus de raisons encore d'être libre de tels soucis, puisque, ayant reçu la science, symbolisée ici par l'arche, il sera comblé par le Seigneur, recevant tout par surcroît (cf. *Matth.* 6, 33). Le propitiatoire, c'est-à-dire le couvercle de l'arche, est le symbole de la science spirituelle dans *KG* IV, 63 (symbolisme qui est déjà chez Origène, *Homélies sur les Nombres* X, 3; voir aussi IV, 3 et V, 1 : l'arche symbole des « mystères cachés et secrets »).

Avec ce chapitre comparer Clément d'Alexandrie, *Stromates* VII, vii, 46 (éd. Stählin, *GCS* 17, p. 34) : « Avec raison (le gnostique) ne recherche rien de ce qui est nécessaire aux besoins de la vie ni quoi que ce soit, persuadé qu'il est que Dieu qui connaît tout fournit ce qui est utile aux gens de bien, même s'ils ne le demandent pas. De même, en effet, à mon avis, que chaque chose est donnée à l'artisan de façon artisanale, au païen d'une manière convenant au païen, de même elle l'est au gnostique d'une manière gnostique ».

< λθ′ >

---

39. Deest graece

---

39. *Un accusateur sévère*, litt. «amer», comme disent toutes les versions, traduisant vraisemblablement πικρός. Pour «accusateur», κατήγορος est donné par les versions syriaques, qui utilisent un nom formé sur la transcription, usuelle en syriaque, du verbe grec correspondant : $S_1 S_3$ ܩܛܝܓܪܐ, S_2 ܩܛܝܓܪ. Évagre reprend ici un thème traditionnel depuis l'ancien stoïcisme, celui de la conscience accusatrice, qui a influencé nombre d'auteurs, cf. POLYBE, 18, 43, 13 : «Personne, en effet, n'est un témoin aussi terrible et un accusateur (κατήγορος) aussi redoutable que la conscience (litt. «intelligence», σύνεσις, équivalent de συνείδησις chez les stoïciens) qui habite dans l'âme de chacun»; ce texte est cité par E. BRÉHIER, *Les idées philosophiques et religieuses de Philon d'Alexandrie*, Paris 1925, p. 300, n. 4, qui en rapproche PHILON, *De decalogo* 87 et *Quod deterius* 23, où on lit également κατήγορος, mais où la conscience est nommée ἔλεγχος, comme habituellement chez Philon. L'idée est reprise par ORIGÈNE, *Des Principes* II, 10, 4 (éd. Crouzel-Simonetti, *SC* 252, p. 384-385) : Au souvenir des fautes qu'elle a commises «la conscience *(conscientia)* est agitée et comme piquée par ses propres aiguillons et elle devient elle-même son accusatrice *(accusatrix)* et son témoin à charge». Elle se retrouve dans la littérature monastique, cf. *Apophthegmata Patrum*, Aga-

39

La conscience du gnostique est pour lui un accusateur
sévère, et il ne peut rien lui cacher, car elle connaît
jusqu'aux secrets de son cœur.

thon 2 (*PG* 65, 109 B) : « Il faut que le moine ne laisse pas
sa conscience (συνείδησις αὐτοῦ) l'accuser (κατηγορῆσαι) en
quoi que ce soit». Toutes les versions s'accordent pour
permettre de restituer ainsi le texte grec : πικρὸς κατήγορος
τοῦ γνωστικοῦ ἡ συνείδησις αὐτοῦ.

Il ne peut rien lui cacher, d'après les versions syriaques ;
Arm. «il n'est pas possible de l'estimer fausse». Comparer
Sénèque, *De beneficiis* VI, 42 : « Il agit mal, celui qui
cherche à plaire à l'opinion publique plutôt qu'à sa
conscience ; tu as deux juges de ce que tu fais : toi, que tu
ne peux pas tromper, et celui-là (= le public) que tu peux
tromper».

Elle connaît jusqu'aux secrets de son cœur : Évagre
affirme ici de la conscience elle-même ce que, dans *TP* 46
et 47, il disait de Dieu, qui seul est καρδιογνώστης,
connaissant «ce qui est caché dans le cœur». Sa conception
de la conscience paraît cependant plus proche de celle des
stoïciens, assimilant la conscience à la raison, que de celle
de la tradition platonicienne qui voyait dans la conscience
la voix d'un «démon», de la divinité, à l'intérieur de
l'homme.

Évagre, dans ce chapitre, ne rapporte pas seulement à la
conscience du gnostique ce que les auteurs qui l'ont
précédé disaient de la conscience de tout homme, mais il
veut dire que la conscience devient encore plus exigeante
pour qui est engagé dans la vie gnostique : aussi le
gnostique doit-il se garder de tout relâchement (cf. les
deux chapitres précédents).

< μ′ >

---

40. Deest graece

---

40. *Prends garde au fait que*, d'après *Arm.* et S_2 ; S_1 et, à sa suite, S_3 ont développé l'expression : «Aie la prudence (S_3 «Prends garde») de ne pas penser que...».

Raison : S_1 «cause», ꭗꮭ ; S_2 a deux mots : «aspect (litt. 'face '), ꭗꮻ, et explication», ꭗꮻꮯ ; S_3 «intellection», ꭗꮮꭟꮻ ; *Arm.* «parole», բան. Le terme grec était certainement λόγος, désignant ce qui est à la fois le principe ontologique et explicatif de toute nature créée (cf. Introd., p. 29).

Et selon la mesure de chacun, texte de *Arm.* L'expression est différemment développée dans les versions syriaques : S_1 «et selon la mesure des conduites de chacun elles lui sont aussi révélées»; S_2 «et les mesures *(sic)* des états des créatures»; S_3 «et selon la mesure de leur intellection» (répétition accidentelle du mot?).

Atteignent les raisons véritables des objets, d'après le sens probable de *Arm.* et S_3 (peu lisible); S_2 «atteignent la science véritable»; S_1 «sont instruites de nombreuses causes».

40

Prends garde au fait que, pour toute chose créée, il n'y a pas seulement une raison, mais un grand nombre et selon la mesure de chacun; les puissances saintes, elles, atteignent les raisons véritables des objets, mais non pas la première, celle qui est connue seulement du Christ.

La première : singulier d'après *Arm.* et S_2 ; le mot est au pluriel dans S_1 suivi par S_3.

Du Christ : selon toutes les versions, sauf S_2 qui a «le Fils». *Arm.* a rattaché à ce mot les premiers mots du chapitre suivant, en manière de doxologie : «...du Christ, de qui dépendent toutes les sciences et nations» (voir la note au chapitre suivant, sous le lemme *A comme prédicat ou un genre*).

L'interprétation de ce chapitre est difficile et sa traduction reste incertaine. Il doit être interprété d'après la doctrine évagrienne des *logoi* (voir Introd., p. 29). La contemplation spirituelle permet de connaître les natures dans leurs *logoi*, c'est-à-dire les «raisons» selon lesquelles elles ont été créées (cf. *KG* V, 40). Ces *logoi* ont leur principe dans le *Logos*, le Verbe, que le Christ a en lui (cf. *KG* IV, 9). Aussi seul le Christ connaît la raison «première» de chaque nature, à la création de laquelle il a présidé. Les raisons que connaissent, dans leur condition présente, les natures raisonnables (les *logikoi*), «selon la mesure de chacun», les anges approchant davantage de la vérité (cf. ch. 16, ci-dessus), sont seulement des aspects multiples et partiels de cette raison première.

< μα′ >

Πᾶσα πρότασις ἢ γένος ἔχει κατηγορούμενον, ἢ διαφοράν, ἢ εἶδος, ἢ ἴδιον, ἢ συμβεβηκός, ἢ τὸ ἐκ τούτων συγκείμενον· οὐδὲν δὲ ἐπὶ τῆς ἁγίας Τριάδος τῶν εἰρημένων ἔστι λαβεῖν. Σιωπῇ προσκυνείσθω τὸ ἄρρητον.

---

41. Adest apud Socratem

---

41. Ce chapitre est cité par SOCRATE à la suite du ch. 27 (cf. ci-dessus, p. 48), avec cette différence, qu'il souligne lui-même, que la citation est ici littérale : «Le même (Évagre) enseigne aussi ceci littéralement...»; la formule finale : «Voilà ce que disait Évagre dont nous parlerons plus loin» renvoie au passage où seront cités les ch. 44 à 48 (ci-dessous, p. 173).

Le texte de ce chapitre, tel qu'il est cité par Socrate, paraît sûr, et le témoignage des versions, en désaccord sur certains points, n'invite guère à le corriger. Outre les trois versions syriaques et la version arménienne, on dispose, pour ce chapitre, d'un autre témoin : une citation, faite à deux reprises, dans la version syriaque, seule conservée, des *Lettres* de SÉVÈRE D'ANTIOCHE à Serge le Grammairien (version due probablement à Paul de Callinice, 1ʳᵉ moitié du VIᵉ s.) : 2ᵉ lettre, éd. Lebon, *CSCO* 119, p. 137, 26-138, 2 (trad. latine *CSCO* 120, p. 104), et 3ᵉ lettre, *ibid.*, p. 173, 18-22 (trad. latine, *ibid.*, p. 133). Ces deux citations, identifiées par J. MUYLDERMANS à qui J. Lebon les avait signalées, cf. *Evagriana Syriaca*, p. 170, n. 138, sont traduites directement sur le texte grec de Sévère et présentent entre elles de menues différences; mais elles sont, d'une façon générale, plus proches du texte grec de Socrate que les autres versions. Elles sont désignées ci-après Sévère *(primo)* et Sévère *(secundo)*.

41

Toute proposition a comme prédicat ou un genre, ou une différence, ou une espèce, ou une propriété, ou un accident, ou ce qui est composé de ces choses; mais, au sujet de la sainte Trinité, rien de ce qui vient d'être dit n'est admissible. Qu'en silence soit adoré l'ineffable !

Toute proposition : S_1 et Sévère *(primo et secundo)* soulignent la forme de syllogisme du chapitre par un procédé déjà vu au ch. 37 (voir la note à ce chapitre, p. 158) : «Si toute question...» (S_1 ajoute «qui existe»); ce «si» initial a été supprimé par S_3 : «Toute question qui existe...», et est absent également de S_2 : «Chacun des sujets...», et de *Arm.*, qui a rattaché les premiers mots de ce chapitre à la fin du chapitre précédent (voir la note à ce chapitre, p. 165).

A comme prédicat ou un genre, mal traduit par *Arm.* «toutes les sciences et les genres (le mot arménien ᴡզᴣ a les deux sens de γένος, «nation» et «genre») dépendent de paroles correspondantes»; mal traduit aussi dans S_1 et S_3 «fait connaître ou un genre»; S_2 traduit seulement ἔχει : «chacun des sujets a ou un genre». Seul Sévère *(primo et secundo)* a traduit correctement : «Si toute question a ou un genre qui (lui) est attribué», ⲗⲓⲑⲟⲁⲥ, verbe syriaque qui est la transcription de κατηγορεῖν.

Ou une différence ou une espèce : ces deux termes sont inversés dans toutes les versions (S_1 et S_3 ont ces mots au pluriel). S_2 traduit εἶδος par «vision», ⲕⲑⲓⲥ, (d'après le sens étymologique du mot), *Arm.* (corriger ᴋᴡᴟ en ᴋᴡᴟ) par «une chose quelconque», ᴨⴔᴣ ᴨⴔᴣ (sens affaibli et tardif de εἶδος). La même inversion est faite dans la reprise du texte de Socrate par NICÉPHORE CALLISTE X, 15 (cf. Introd., p. 48).

Ou une propriété : ce terme est omis dans S_1 et S_3.

Ou un accident : S_1 et S_3 ont le mot au pluriel (comme les autres termes de la série).

Ou ce qui est composé de ces choses : ces mots sont omis dans Sévère *secundo*.

Comme l'a déjà relevé W. LACKNER, «Zur profanen Bildung des Euagrios Pontikos», *Hans Gerstinger-Festgabe*, Graz 1967, p. 24-25, la première phrase de ce chapitre, qui forme la majeure du syllogisme, est empruntée au début de l'*Isagogé* de PORPHYRE : «Comme il est nécessaire... pour étudier la doctrine des Catégories chez Aristote de savoir ce qu'est le genre (τί γένος), ce qu'est la différence (τί διαφορά), ce qu'est l'espèce (τί εἶδος), ce qu'est la propriété (τί ἴδιον), et ce qu'est l'accident (τί συμβεβηκός)» : ce sont les mêmes termes, disposés dans le même ordre que dans le texte grec d'Évagre, quelque peu modifié dans les versions, qui adoptent l'ordre qu'ont ces termes dans la suite du traité de Porphyre. A ces termes s'en ajoute un sixième, «et ce qui est composé de ces choses», qui se réfère à la deuxième partie de l'*Isagogé*, «Sur ce qu'ont en commun ces cinq vocables».

J. MUYLDERMANS, *op. cit.*, p. 141 (texte) et p. 169 (trad.), a édité, parmi les *excerpta* syriaques d'Évagre, un texte parallèle à cette première partie du chapitre, mais où l'ordre des termes est le même que dans les versions : «Toute question porte ou sur le genre ou sur l'espèce ou sur la différence ou sur la propriété ou sur l'accident ou sur ce qui est composé de ces choses...». Ce texte paraît indépendant du chapitre du *Gnostique*, car il comporte ensuite une série d'exemples (empruntés eux aussi au traité de Porphyre) qui ne s'y trouvent pas.

Mais au sujet de la Sainte Trinité : dans un manuscrit de Socrate *(Laurentianus 70, 7)* et dans le texte de celui-ci tel qu'il est repris par Nicéphore Calliste (voir ci-dessus), cette phrase commence par «Si» (εἰ οὐδὲν δέ) : même procédé qu'au début du chapitre dans S_1.

Rien de ce qui vient d'être dit n'est admissible : bien rendu dans *Arm.* et Sévère *(primo et secundo)*, mais mal traduit dans S_1 et S_3 : «Il n'y a aucune de ces choses dans la

Trinité sainte» (omission de τῶν εἰρημένων) ; S_2 a bien
compris, mais a glosé : «Mais la Trinité sainte est
supérieure à tout cela et il ne convient pas que nous
pensions aucune de ces choses (même omission que dans S_1
et S_3) à son sujet». A rapprocher du ch. 27 ci-dessus, où
Évagre déconseille de chercher à définir Dieu, ce qui serait
lui attribuer un genre, une espèce, etc. (voir la note de ce
chapitre). Comparer CLÉMENT D'ALEXANDRIE, *Stromates*
V, xii, 81, 5, (éd. Le Boulluec-Voulet, *SC* 278, p. 158-159) :
«Comment pourrait-on dire (litt. «serait exprimable»,
ῥητόν : cf. ici ἄρρητον) ce qui n'est ni un genre ni une
différence ni une espèce ... ni non plus un accident ...». Sur
l'antériorité de cette liste par rapport à Porphyre, voir la
note de Le Boulluec sur ce passage, *SC* 279, p. 264.

Qu'en silence soit adoré l'ineffable : cette conclusion
reprend un thème fort répandu dans la tradition philosophique grecque, particulièrement dans le néoplatonisme
(cf. O. CASEL, *De philosophorum Graecorum silentio mystico*,
Giessen 1919). Voir, entre autres, PORPHYRE, *De l'abstinence* II, 34, 2 : «Au Dieu suprême ... nous rendons un culte
par un silence pur et des pensées pures à son égard» (éd.
Bouffartigue-Patillon, t. II, p. 101). Mais Évagre a pu
aussi recevoir cette idée de GRÉGOIRE DE NAZIANZE, à qui
elle est familière, voir *Discours* 28, 20 : «Puisque ce sont
des choses ineffables (ἄρρητα, référence à *II Cor.* 12, 2,
ravissement de saint Paul), qu'elles soient honorées par
nous aussi en silence, καὶ ἡμῖν σιωπῇ τιμάσθω» (éd. Gallay,
SC 250, p. 140 ; même expression dans discours 29, 8, *ibid.*,
p. 192). On peut comparer aussi le célèbre «Hymne à
Dieu», transmis et édité sous le nom de GRÉGOIRE DE
NAZIANZE (*PG* 37, 507-508), mais attribué par plusieurs
critiques à PROCLUS : « O toi qui es au-delà de tout ..., tu
ne peux être dit (ῥητόν) par aucune parole ... Tout ...
t'adresse un hymne silencieux».

Sur la présence de ce chapitre dans le ms. 283 de Saint-
Sabas, voir, ci-dessus, Introd., p. 50.

< μβ' >

Πειρασμὸς γνωστικοῦ ἐστιν ὑπόληψις ψευδὴς περὶ τὸν νοῦν ἱσταμένη τοῦ ὑπάρχοντος μὲν < ὡς μὴ ὑπάρχοντος, τοῦ δὲ μὴ ὑπάρχοντος ὡς ὑπάρχοντος, καὶ τοῦ ὑπάρχοντος μὲν > μὴ οὕτως δὲ ὑπάρχοντος ὥσπερ γέγονε.

< μγ' >

---

42. Adest in JLKM

2-3 ab ὡς μὴ usque ad ὑπάρχοντος μὲν e versionibus restituimus : om. JLKM

43. Deest graece

---

42. Le texte grec présente une lacune due à un saut du même au même, qu'il est facile de combler à l'aide des versions, bien que celles-ci aussi, à l'exception de S_1 et S_3, aient certaines lacunes.

Une opinion, ὑπόληψις avec nuance péjorative (bien rendue par les versions : S_1 S_3 ⲣⲁⲩⲓⲥⲙⲉ, S_2 ⲣⲁⲩⲓⲣⲁⲙⲉ, Arm. կարծիք, opinion, supposition, conjecture) ; ce mot est très souvent accompagné, comme ici, de l'adjectif ψευδής (pour les stoïciens, voir VON ARNIM, *SVF* IV, p. 150, *s.v.*). Litt. «une opinion fausse, qui se présente à l'intellect, de ce qui existe ...».

Ce qui existe : suppléer dans le texte de Frankenberg qui suit *Add. 14578* (mais l'omission est réparée dans la rétroversion grecque), d'après tous les autres manuscrits de S_1, ⲟⲩⲁⲩⲕⲁ ⲣⲁⲁⲥⲝ, «d'une chose qui existe».

Comme n'existant pas : ces mots manquent dans le texte de Sarghisian (de même dans les deux manuscrits d'Érivan) ; à suppléer, d'après le manuscrit 1552 de Venise, cité en apparat (mais lire իրր au lieu de կամ *primo*).

42

La tentation du gnostique est une opinion fausse qui présente à l'intellect ce qui existe comme n'existant pas, ce qui n'existe pas comme existant, ou encore ce qui existe, comme existant autrement qu'il n'est.

43

Le péché du gnostique est la science fausse des objets eux-mêmes ou de leur contemplation, qui est engendrée par une passion quelconque, ou parce que ce n'est pas en vue du bien qu'est faite la recherche.

Ou encore ... autrement qu'il n'est : ce dernier membre est omis pas S_2.

Ce chapitre forme couple avec le suivant et les deux sont parallèles aux ch. 74 et 75 du *Traité pratique* : «La tentation du moine ...», «Le péché du moine ...» (cf. notes afférentes de *TP*). Il s'agit ici de la tentation qui est propre au gnostique : elle se distingue de celle du «moine», c'est-à-dire de celui qui est encore dans la vie pratique, par son caractère intellectuel. Sur la tentation du parfait qu'est le gnostique, voir aussi *in Ps.* 118, 55 (Pitra III, p. 273), 139, 6 (*PG* 12, 1664 C), 141, 4 et 7 (*ibid.*, 1665 D - 1668 B).

43. *Le péché du gnostique* : ἁμαρτία γνωστικοῦ ; cf. ἁμαρτία μοναχοῦ, «le péché du moine» dans *TP* 75.

La science fausse : γνῶσις ψευδής, expression assez fréquente chez Évagre pour désigner toute fausse doctrine ou hérésie (cf. *Moines* 126), par opposition à «la vraie science», γνῶσις ἀληθής, cf. *in Prov.* 30, 4 (sch. 282 B, p. 376) et 6, 30-31 (sch. 84, p. 184). Le gnostique déchu devient un fauteur d'hérésies, cf. *KG* V, 38.

Des objets eux-mêmes ou de leur contemplation : S_1 et S_2 ont, pour le premier terme, «des choses», ⲕⲑⲁⲥ, S_3 «des objets», ⲕⲓⲥⲁⲙ mot qui traduit habituellement τὰ

< μδ′ >

Τέσσαρας ἀρετὰς καὶ τῆς θεωρίας αὐτῆς, παρὰ τοῦ δικαίου
Γρηγορίου μεμαθήκαμεν εἶναι, φρόνησιν καὶ ἀνδρείαν, σωφρο-
σύνην καὶ δικαιοσύνην · καὶ φρονήσεως μὲν ἔργον ἔλεγεν εἶναι
τὸ θεωρεῖν τὰς νοερὰς καὶ ἁγίας δυνάμεις δίχα τῶν λόγων ·
5 τούτους γὰρ ὑπὸ τῆς σοφίας μόνης δηλοῦσθαι παραδέδωκεν ·

---

44. Adest in JLKM et apud Socratem

1 τῆς : τὰς Socrates ‖ αὐτῆς : αὐτῶν Socrates ‖ 4 καὶ ἁγίας om.
JLKM ‖ λόγων : λοιπῶν JLKM ‖ 5 τούτους : ταύτας LKM ‖ μόνης om.
Socrates

πράγματα ; il faut donc supposer en grec τῶν πραγμάτων
αὐτῶν (le mot paraît accidentellement omis dans Arm.). Le
second terme était certainement θεωρία, que S₃ a conservé
dans sa transcription syriaque ⲕⲓⲟⲣⳅ et que S₂
ⲣⲟⲇⲓⲱ et Arm. *ıtɛuɫɛɯ ɯŋnɩ*, «leur vue», suggèrent ;
S₁ ⲣⲟⲗⲁⲁⲟ, «leur intellection», est moins exact. Ces
restitutions sont confirmées par le texte de *in Ps.* 143, 7,
cité ci-après.

Qu'est faite la recherche : ces derniers mots sont omis par
S₂ ; S₁ ajoute un complément : «que nous faisons une
investigation sur les choses elles-mêmes», texte modifié par
S₃ : «qu'il fait une investigation sur l'allégorie». *Arm.*
invite à supprimer ce complément : «celui… qui applique
sa parole à la recherche». En grec l'expression était sans
doute τὴν ζήτησιν ποιεῖσθαι (sur la signification technique de
ce terme, voir ci-dessus, note au ch. 26).

Le péché du gnostique n'est plus, comme celui du
«moine» (*TP* 75), le fait de consentir au plaisir défendu que
propose une pensée passionnée ; de nature plus intellectuel-
le, il réside dans l'erreur ; mais celle-ci n'est pas due
seulement à une défaillance de l'intelligence ; elle provient

44

Nous avons appris du juste Grégoire que pour la contemplation, elle aussi, il y a quatre vertus : la prudence et le courage, la continence et la justice. La tâche de la prudence, disait-il, est de contempler les puissances intelligentes et saintes, indépendamment de leurs raisons ; celles-ci, en effet, nous a-t-il transmis, sont révélées par la seule sagesse. Celle du courage est de persévérer dans la

de ce que le gnostique est encore sujet aux passions, notamment à celle de la colère (cf. ch. 4), ou que, dans sa recherche comme dans son enseignement, il peut céder à la cupidité ou à la vaine gloire (cf. ch. 24 et les textes cités en note) ; l'erreur est engendrée par « l'amour du monde », cf. *KG* IV, 25.

Une définition de la fausse science, en des termes identiques à ceux de ce chapitre, se lit dans *in Ps.* 143, 7 (Pitra, III, p. 352-353), dans un développement qui présente un parallélisme analogue à celui qui existe entre ces deux chapitres 42 et 43 et les ch. 74 et 75 du *TP* : « La 'main étrangère' est la pensée (λογισμός) qui se trouve avec la partie passionnée de l'âme et qui paralyse l'intellect ; mais cette main atteint les pratiques, tandis que la main qui atteint les contemplatifs, c'est la science fausse des objets eux-mêmes ou de leur contemplation, γνῶσις ψευδὴς αὐτῶν τῶν πραγμάτων ἢ τῆς θεωρίας αὐτῶν ».

44. Avec ce chapitre commence la série de citations de théologiens, ch. 44 à 48, sur laquelle se termine le livre, avant les deux chapitres de conclusion. Cette série est intégralement conservée par Socrate dans son chapitre sur les moines d'Égypte, *Hist. Eccl.* IV, 23 (cf. Introd., p. 48) ; elle vient à la suite des chapitres 91-99 du *TP*, cités, comme l'affirme Socrate, « à la lettre » (κατὰ λέξιν), et elle est introduite par les mots : « Et voici ce qu'il dit (τοιαῦτά φησι) dans son *Gnostique* » ; les citations sont faites, ici aussi, littéralement, comme les autres témoins du texte permettent de le constater.

ἀνδρείας δὲ τὸ ἐγκαρτερεῖν τοῖς ἀληθέσι καὶ πολεμούμενον,
καὶ μὴ ἐμβατεύειν εἰς τὰ μὴ ὄντα · τὸ δὲ παρὰ τοῦ πρώτου
γεωργοῦ δέχεσθαι τὰ σπέρματα καὶ ἀπωθεῖσθαι τὸν
ἐπισπορέαᵠ, τῆς σωφροσύνης ἴδιον ἀπεκρίνατο εἶναι · δικαιο-
10　σύνης δὲ πάλιν, τὸ κατ᾽ ἀξίαν ἑκάστῳ τοὺς λόγους ἀποδιδόναι,
τὰ μὲν σκοτεινῶς ἀπαγγέλλουσαν, τὰ δὲ δι᾽ αἰνιγμάτων
σημαίνουσαν, τινὰ δὲ καὶ φανεροῦσαν πρὸς ὠφέλειαν τῶν
ἁπλουστέρων.

----

44. Adest in JLKM et apud Socratem

8 τὰ om. Socrates ‖ 9 ἐπισπορέα : ἀντισπορέα JLKM ‖ 10 ἑκάστῳ :
ἑκάστου Socrates ‖ τοὺς λόγους : λόγον Socrates ‖ 11 ἀπαγγέλλουσαν :
ἀπαγγελλούσης LKM ‖ 12 σημαίνουσαν : σημαινούσης LKM ‖ φανεροῦσαν :
φανερούσης LKM

Ce chapitre est parallèle au ch. 89 du *TP*, comme les
ch. 42 et 43 l'étaient à *TP* 74 et 75 : ici encore apparaît le
lien existant entre *TP* et *Gnostique*.

Nous avons appris du juste Grégoire : Grégoire de
Nazianze qu'Évagre désigne aussi comme «le juste Grégoire» dans l'épilogue du *TP* (voir la note afférente) et qu'il a
toujours présenté comme étant son maître : «notre sage
maître», dit-il de lui sans le nommer expressément dans
TP 89 (voir la note à ce chapitre). Il s'agit probablement
ici d'un enseignement oral, comme l'indiquent les verbes
employés, «nous avons appris», «disait-il», «il répondit»,
etc. Les écrits de Grégoire ne semblent pas contenir un tel
texte, cf. Introd. p. 22, n. 18.

Pour la contemplation elle aussi : l'expression «elle aussi»
renvoie implicitement au chapitre 89 du *TP* ; aux vertus
qui concernaient la vie pratique font pendant ici les vertus
propres à la vie contemplative. Le texte transmis par
Socrate, «et leurs contemplations» provient d'une méprise
sur la valeur de καί, compris comme une copule introduisant un accusatif (cependant la version arménienne de
Socrate, représentant sans doute un état plus ancien du
texte, a le génitif singulier). Cette méprise apparaît aussi

*vérité, même s'il faut combattre, et de ne pas s'aventurer
dans ce qui n'existe pas. Recevoir du premier cultivateur
les semences et repousser celui qui sème par-dessus[q], il
répondit que c'est le propre de la continence. Quant à la
justice, son rôle est de distribuer à chacun selon son rang
les raisons, rapportant certaines choses obscurément, en
désignant d'autres par énigmes, et en exposant clairement
certaines pour l'utilité des simples.*

q. Cf. Matth. 13, 25

dans S_2 «quatre vertus et leur science»; mais S_3 et *Arm.*
appuient le texte des manuscrits JLKM. S_1 a explicité le
renvoi au *TP* : «quatre vertus de la pratique (litt. des
conduites) et de la vision glorieuse ... ».

La prudence et le courage, la continence et la justice : il
s'agit des quatre vertus cardinales selon les stoïciens (cf.
«la tétrade des vertus», *Prière* 1) qui figurent déjà dans
TP 89, les trois premières en tête des vertus rattachées à
chacune des trois parties de l'âme, la dernière à l'âme
entière; mais elles étaient dans un ordre légèrement
différent, prudence, continence, courage, justice, ordre
donné ici par les manuscrits de S_1, à l'exception de l'*Add.*
14581, avec lequel s'accorde S_3. L'énumération de ces
vertus est suivie d'une série de définitions indiquant le rôle
(ἔργον) de chacune d'elles, selon un genre emprunté aussi à
la tradition stoïcienne, cf. PLUTARQUE, *Des contradictions
des stoïciens* 7, et CLÉMENT D'ALEXANDRIE, *Stromates* VII,
III, 17-18 (éd. Stählin, *GCS* 17, p. 13-14).

Les puissances intelligentes et saintes, c'est-à-dire les
anges (cf. *Pensées* 4, 1204 D); l'expression «et saintes»,
omise par JLKM, est attestée par toutes les versions.
Comparer le rôle de la prudence dans *TP* 89 : «Diriger les
opérations contre les puissances adverses», c'est-à-dire les
démons.

Indépendamment de leurs raisons : τῶν λόγων, texte de
Socrate appuyé par toutes les versions; τῶν λοιπῶν, texte
de JLKM, est une faute évidente, due à un accident

paléographique, et ne donne aucun sens. Sur les raisons ou *logoi*, voir Introd., p. 29.

Par la seule sagesse : «seule», omis par Socrate (mais présent dans sa version arménienne), est attesté par toutes les versions, sauf S_1. Comparer le rôle de la sagesse en *TP* 89 : «contempler les raisons des corps et des incorporels» (et voir les textes cités en note).

Persévérer dans la vérité : comparer *TP* 89 : «ne pas craindre les ennemis et tenir ferme (ἐγκαρτερεῖν) vaillamment devant les dangers, c'est le fait de la persévérance et du courage», et, sur les rapports entre persévérance et courage, voir la note afférente.

Ce qui n'existe pas : considérer ce qui n'existe pas comme existant est une des formes de l'erreur, cf. ci-dessus ch. 42.

Recevoir du premier cultivateur les semences : dans le texte édité par Frankenberg, d'après *Add. 14578*, on lit : «que nous recevions la première semence qui a été semée en nous par le cultivateur céleste»; il convient de corriger le texte d'après les autres manuscrits de S_1, qui ont : «que nous recevions la semence qui a été semée en nous par le premier cultivateur» (ܐܝܠ ܐ.ܢ ܐܪܕܐ ܐܪܙܐܪ ܐܪܙܐ ܐܪܟܝܢ.ܐ ܚ).

Celui qui sème par-dessus : au lieu de ἀντισπορέα (hapax ?) de JLKM, lire avec Socrate ἐπισπορέα, qui est le mot correspondant au verbe employé en *Matth.* 13, 25, attesté ici, semble-t-il, par S_3 «le second semeur» et *Arm.* «le semeur postérieur» (sens temporel ou local de ἐπι-); S_2 «l'autre semeur qui sème l'ivraie» et S_1 «le semeur de l'ivraie» ont précisé l'allusion scripturaire. Sur l'ivraie, symbole des hérésies et de l'erreur, voir, entre autres, Clément d'Alexandrie, *Stromates* VI, VIII, 67, 2 (éd. Stählin, *GCS* 15, p. 465, 24-26); par opposition à la bonne semence semée en nous par Dieu, cf. Origène, *Homélies sur Jérémie* I, 14 (éd. Husson-Nautin, *SC* 232, p. 228-229). Dans son éloge d'Athanase, Grégoire de Nazianze traite l'intrus arien Georges de «semeur d'ivraie» (*Discours* 21, 21, *PG* 35, 1105 B).

La continence : sur le sens précis qu'a le mot σωφροσύνη chez Évagre, voir la note au ch. 89 du *TP*. La continence, chez le gnostique, est la vertu qui repousse l'erreur, comme chez le «moine» (*TP* 89) elle fait obstacle aux mauvaises pensées.

La justice : dans *TP* 89 Évagre retenait la conception platonicienne de la justice comme vertu qui assure l'harmonie des trois parties de l'âme ; ici il adopte la conception aristotélicienne et stoïcienne de la justice distributive, en l'appliquant à ce qui est pour lui la fonction propre du gnostique : celui-ci, dans son enseignement, doit s'adapter à son auditoire, «distribuer» la matière à enseigner selon le niveau (κατ' ἀξίαν) de chacun, conseil qui est un lieu commun du livre, cf. ch. 12, 13, 23, 25, 35 et 36.

Distribuer à chacun selon son rang les raisons : texte de JLKM, appuyé par S_1 «à chacun selon qu'il est digne elle distribue et donne soit des paroles soit des objets» (addition due au traducteur) et par S_3 «donner selon la mesure de chacun (a lu ἑκάστου au lieu de ἑκάστῳ) les intellections». Le texte de Socrate, «selon le rang de chacun répondre» (λόγον ἀποδιδόναι) semble être aussi celui de S_2 «répondre (ܪܬܐ ܚܩ ܟܠܢܫ.) à chacun selon qu'il en est digne» ; *Arm.* paraît avoir contaminé les deux tours, «donnent équitablement à chacun la réponse (պատասխանիհ) des paroles». Le mot «raison», *logos*, est pris ici au sens de principe explicatif, théorie, comme ci-dessus ch. 36 et 40.

Obscurément... par énigmes : Évagre s'est lui-même conformé au conseil qu'il donne ici au gnostique, cf. *TP*, prologue 58-59. Pour l'ésotérisme ici recommandé, comparer ch. 36 et voir Introd., p. 31-32.

Pour l'expression δι' αἰνιγμάτων, comparer PLATON (?), *Lettre II* 312 de (sur la nature du Premier : «Je dois t'en parler, mais par énigmes, afin que s'il arrive à cette lettre quelque accident..., en la lisant on ne puisse comprendre», éd. J. Souilhé, «Les Belles Lettres», p. 8), cité par

< με' >

Τῆς ἀληθείας ὁ στύλος ὁ καππαδόκης Βασίλειος· τὴν μὲν
ἀπὸ ἀνθρώπων, φησίν, ἐπισυμβαίνουσαν γνῶσιν, προσεχὴς
μελέτη καὶ γυμνασία κρατύνει· τὴν δὲ ἐκ Θεοῦ χάριτος
ἐγγινομένην, δικαιοσύνη καὶ ἀοργησία καὶ ἔλεος· καὶ τὴν μὲν
5 προτέραν, δυνατὸν καὶ τοὺς ἐμπαθεῖς ὑποδέξασθαι· τῆς δὲ
δευτέρας οἱ ἀπαθεῖς μόνοι εἰσὶ δεκτικοί· οἳ καὶ παρὰ τὸν καιρὸν
τῆς προσευχῆς τὸ οἰκεῖον φέγγος τοῦ νοῦ περιλάμπον αὐτοὺς
θεωροῦσιν.

---

45. Adest in JLKM, apud Socratem et Palamam

1 post ἀληθείας add. φησίν Palamas ‖ ὁ[1] om. Socrates ‖ 2 ἀπὸ : ἀπ'
Socrates   om. KM Palamas ‖ ἀνθρώπων : ἀνθρωπίνην Palamas ‖ φησὶν
ἐπισυμβαίνουσαν om. Palamas ‖ προσεχὴς : προσοχῆς JLKM   om.
Palamas ‖ 3 κρατύνει : κρείσσονα ποιεῖ Socrates ‖ 4 καὶ ἀοργησία om.
Palamas ‖ 7 τοῦ : τὸν M ‖ νοῦ : νοῦν KM ‖ περιλάμπον : περιλάμπων KM[ac]

Clément d'Alexandrie, *Stromates* V, x, 65,1 (éd.
A. Le Boulluec, *SC* 278, p. 132-133); l'expression revient
assez souvent chez Clément, à propos de l'Écriture, où
s'exprime le Pédagogue divin (cf. *Pédagogue* II, x, 89,1 ;
III, xii, 97,2 ; *Stromates* V, iv, 20,1 ; v, 31, 5). D'après
l'Écriture elle-même (*Prov.* 1,6) les paroles des sages sont
des «énigmes».

L'utilité des simples : le mot ἁπλοῦς est pris ici dans le
sens qu'il a usuellement chez Clément et chez Origène,
employé le plus souvent, comme ici, au comparatif.
Évagre l'emploie ailleurs dans ce sens : dans *in Prov.*
29,11 (sch. 363, p. 452), à propos de l'interprétation d'un
texte scripturaire, il distingue entre ce qui doit être dit aux
simples (πρὸς τοὺς ἁπλουστέρους) et ce qui doit être dit aux
plus avancés (πρὸς τοὺς σπουδαίους); voir aussi *Pensées* 16
(*PG* 79, 1217 C).

Un commentaire syriaque de ce chapitre et du suivant,
dû, semble-t-il, à Joseph Hazzaya (viiie siècle), se lit, à la

45

La colonne de la vérité, Basile de Cappadoce, a dit : La science qui provient des hommes est fortifiée par l'étude et l'exercice assidus, mais celle qui vient en nous par la grâce de Dieu l'est par la justice, la maîtrise de la colère et la miséricorde. La première, il est possible de la recevoir, même pour qui est sujet aux passions; mais la deuxième, seuls les impassibles en sont capables, eux qui, de plus, à l'heure de la prière, contemplent la propre lumière de leur intellect qui les illumine.

suite d'autres extraits d'Évagre pareillement commentés, dans le *Vat. Syr. 509* (copie du ms. *Alqosh 237*), fol. 101ʳ-103ʳ. Le texte, cité d'après S_I, est simplement paraphrasé, amalgamé parfois à des éléments pris à *TP* 89.

45. Le texte grec de ce chapitre, conservé par Socrate et par les mss JLKM, est cité aussi par Grégoire Palamas qui, comme ces derniers (à l'exception de M) et probablement en dépendance d'eux ou de leur modèle, l'attribue à Nil (cf. Introd., p. 49).

La colonne de la vérité : cette expression, venue de *I Tim.* 3, 15, et spécialement l'emploi métaphorique de στύλος étaient devenus d'un usage banal (cf. Lampe, *s.v.* 5); Basile, en particulier, l'emploie à propos des évêques, *Lettres* 243, 4. L'application qu'en fait ici Évagre à Basile lui-même, qu'il connut dès son jeune âge (cf. A. Guillaumont, *Les Képhalaia Gnostica*, p. 48-50), fait allusion à la ferme résistance dont le grand Cappadocien fit preuve pour la défense de l'orthodoxie.

La science qui provient des hommes... : même opposition formulée en des termes presque identiques, entre la connaissance profane, acquise par l'étude, et la contemplation spirituelle, laquelle vient de la grâce de Dieu et suppose une certaine impassibilité, qu'au ch. 4 (voir autres références données en note).

Par l'étude et l'exercice assidus : au lieu de la leçon προσοχῆς, «de l'attention», des mss JLKM, il faut retenir la leçon προσεχής, qui est celle de Socrate (dont le traducteur arménien, «la réflexion d'attention», semble cependant avoir lu προσοχῆς) ; cette leçon est appuyée par les versions syriaques : $S_1 S_3$ «par une méditation continuelle et une réflexion assidue», S_2 «une réflexion continuelle» ; *Arm.*, «l'assiduité de la prière et de l'exercice», a lu par erreur προσευχῆς.

Par la justice : la δικαιοσύνη est, d'après *TP* 89, la vertu qui assure l'harmonie des trois parties de l'âme, caractéristique de l'état impassible. Il s'agit ici d'une autre conception de la justice que celle qu'a retenue Évagre au chapitre précédent (voir la note *ad. loc.*).

La maîtrise de la colère : la colère est un des grands obstacles à la contemplation, cf. ci-dessus, ch. 4 ; l'ἀοργησία est donc une des principales vertus de l'impassible, cf. ch. 5 (et, pour le mot lui-même, voir la note *ibid.*).

La miséricorde : la miséricorde comme remède au trouble de la partie irascible, cf. *TP* 15, et voir les textes cités, ci-dessous, sous le ch. 7.

La première… la deuxième : S_1 explicite chacun de ces deux termes, selon un procédé déjà rencontré au ch. 20, «la science qui vient des hommes… mais la science de Dieu»; de même ici S_2 «le premier enseignement… mais la science qui nous vient de la grâce de Dieu».

De plus, καί, omis dans S_1 et S_3, est bien attesté, non seulement dans tous les témoins du texte grec, mais aussi dans S_2 et *Arm.* (le mot ǝս manque dans le texte de Sarghisian, mais se trouve dans le *cod. 1552* de Venise, cf. apparat, et dans les deux mss d'Erivan). L'impassibilité permet l'accès, non seulement à la contemplation spirituelle des natures, mais, «de plus», à la vision de la lumière de l'intellect. On a un emploi analogue de καί dans *Skemmata* 4.

A l'heure de la prière… les illumine : comparer *Pensées* rec. 1., Muyldermans, p. 53, 14-15 : les mauvaises pensées «font déchoir de la lumière qui, à l'heure de la prière, illumine l'intellect», ἐκπεσεῖν τοῦ φωτὸς τοῦ κατὰ τὸν καιρὸν τῆς προσευχῆς τὸν νοῦν περιλάμποντος. «L'heure de la prière», entendre «de la prière pure», c'est-à-dire la plus haute forme de la prière, celle dont Évagre traite spécialement dans *Prière* (voir surtout ch. 67, 70, 72, 97) et durant laquelle l'intellect voit sa «propre lumière»; comparer *TP* 64 : «C'est une preuve d'impassibilité que l'intellect ait commencé à voir sa propre lumière», τὸ οἰκεῖον φέγγος ; sur la lumière de l'intellect, voir, en particulier, *Prière* 73 et 74 et *Skemmata* 25, «l'intellect lumineux»; également *Pensées* 24, 1228 B. Cette vision, qui est celle de «l'état» par excellence de l'intellect, n'est possible que moyennant l'impassibilité, cf. *Skemmata* 2. Sur ce thème très important chez Évagre, voir A. GUILLAUMONT, *«La vision de l'intellect par lui-même dans la mystique évagrienne»*, *Mélanges de l'Université Saint-Joseph*, tome L (vol. I et II), Beyrouth 1984 (Mélanges Michel Allard et Paul Nwyia), p. 255-262.

S'agit-il, dans ce chapitre, d'un enseignement oral de Basile comme c'est le cas, semble-t-il, au chapitre précédent, pour Grégoire de Nazianze? Le mot φησίν pourrait donner à penser qu'Évagre se réfère plutôt à un texte écrit ; cependant, écrivait un excellent connaisseur de l'œuvre de Basile, J. GRIBOMONT, «ce texte ne se retrouve pas tel quel, que je sache, sous la plume de Basile» (*Histoire du texte des Ascétiques de S. Basile*, Louvain 1953, p. 261) ; mais il pensait que la première phrase pouvait être une reprise très libre d'un passage de la Petite Règle 16 de l'*Asceticon*, où, à propos de la componction, BASILE dit que l'on ne peut l'obtenir «sans une étude et un exercice très grand et continuel», ἄνευ μελέτης καὶ συγγυμνασίας μείζονος καὶ συνεχοῦς. Le rapprochement paraît peu probant. En tout état de cause, seule la première phrase, comme le pensait Gribomont, pourrait s'inspirer de Basile, la seconde étant de caractère purement évagrien (cf. Introd. p. 22, n. 18).

< μϛ′ >

Τῶν Αἰγυπτίων ὁ ἅγιος φωστὴρ Ἀθανάσιος· τὴν τράπεζαν,
φησί, Μωϋσῆς εἰς τὸ βόρειον μέρος στῆσαι προστάσσεται·
γινωσκέτωσαν οἱ γνωστικοὶ τίς ὁ πνέων ἐστὶ κατ' αὐτῶν, καὶ
πάντα πειρασμὸν γενναίως ὑπομενέτωσαν, καὶ μετὰ προθυμίας
5 τοὺς προσιόντας τρεφέτωσαν.

---

46. Adest apud Socratem

---

46. *Athanase* : Évagre partage l'admiration qu'avait son
maître GRÉGOIRE DE NAZIANZE pour saint Athanase, «la
colonne de l'Église» (*Éloge d'Athanase* 21, 26), en raison du
long combat qu'il mena contre l'arianisme. Pour l'emploi
métaphorique de φωστήρ, «luminaire», s'agissant d'évêques, voir Lampe *s.v.* B 1.

Moïse reçoit l'ordre... : toutes les versions ont «Si
Moïse...», procédé de traducteurs déjà rencontré, ci-dessus
ch. 37 et 41. Allusion à *Exode* 26,35, où est décrit le
mobilier de la Demeure : «Tu mettras la table en dehors du
rideau et le candélabre en face de la table, du côté de la
Demeure qui regarde le Sud, et la table, tu la mettras du
côté de la Demeure qui regarde le Nord». Probablement
par suite d'un lapsus, *Arm.* a traduit «du côté du Sud»,
mais la Bible arménienne est conforme sur ce point au
texte de la *Septante* suivi par Évagre.

Que les gnostiques sachent : l'exégèse allégorique qu'Évagre donne de ce verset rappelle celle qu'en donnait
ORIGÈNE dans ses *Homélies sur l'Exode* IX, 4, mais au sujet
du candélabre : celui-ci, expliquait-il, doit être placé au
Sud, de façon à regarder le Nord et à observer «celui qui
vient du Nord» (expression, prise à *Joël* 2,20, qui désigne
habituellement l'envahisseur, lequel, en Palestine, vient
du Nord); c'est de là, en effet, que «s'embrasent les maux

46

Le saint luminaire de l'Égypte, Athanase, a dit : Moïse reçoit l'ordre de placer la table du côté du Nord[r]. Que les gnostiques sachent qui est celui qui souffle contre eux, qu'ils supportent vaillamment toute tentation et qu'avec empressement ils nourrissent ceux qui se présentent !

r. Cf. Ex. 26, 35

sur la terre entière» (*Jér.* 1, 13); «Qu'on observe donc toujours, dit-il, avec vigilance et un zèle ardent les ruses du diable, pour savoir toujours d'où viendra la tentation, d'où surgira l'ennemi, d'où l'adversaire s'insinuera» (cf. trad. Fortier, *SC* 16, p. 215-216). Évagre reprend cette exégèse, non plus à propos du candélabre, mais au sujet de la table portant les pains de proposition.

Qui est celui qui souffle : il importe, en effet, pour combattre efficacement le démon, assimilé ici au vent du Nord, de l'identifier, cf. ATHANASE, *Vie d'Antoine* 43 : il faut, quand il se présente, lui demander hardiment «Qui es-tu ?»; voir, à ce sujet, *Lettres* 11 (Frankenberg, p. 574) : «Sois le portier de ton cœur et ne laisse aucune pensée entrer sans l'interroger… Es-tu des nôtres ou es-tu de nos ennemis ?» (*Jos.* 5, 13). Identifier le démon, c'est non seulement le reconnaître comme tel, mais reconnaître, par l'observation, quel démon il est, condition indispensable pour lui donner la réplique appropriée, cf. *TP* 43 (et voir la note afférente) et 50-51; c'est là le fondement de la méthode «antirrhétique», exposée dans le livre de ce nom.

Ils nourrissent : on pourrait être tenté de corriger τρεφέτωσαν en τρεπέτωσαν, «qu'ils mettent en fuite», l'expression «ceux qui se présentent» (ou «s'approchent») désignant alors les démons. Mais le témoignage unanime des versions est en faveur de τρεφέτωσαν, donné par tous les témoins du texte de Socrate, y compris Nicéphore Calliste.

< μζ' >

Ἔλεγεν ὁ τῆς Θμουϊτῶν ἐκκλησίας ἄγγελος Σαραπίων ὅτι ὁ
νοῦς μὲν πεπωκὼς πνευματικὴν γνῶσιν τελείως καθαίρεται,
ἀγάπη δὲ τὰ φλεγμαίνοντα μόρια τοῦ θυμοῦ θεραπεύει ·
πονηρὰς δὲ ἐπιθυμίας ἐπιρρεούσας ἵστησιν ἐγκράτεια.

---

47. Adest in JLKr et apud Socratem

1 ab Ἔλεγεν usque ad ὁ² om. r ‖ post Ἔλεγεν add. δὲ Socrates ‖
Θμουϊτῶν : Θμουαίων JLK ‖ ὁ² om. JLK ‖ 2 νοῦς : νοῦν r ‖ πεπωκὼς :
πεπτωκὼς JLK   om. r ‖ πνευματικὴν : πνευματικῇ JLK   πνευματικὴ
r ‖ γνῶσιν : γνώσει JLK   γνῶσις r ‖ τελείως om. r ‖ καθαίρεται : καθαίρει
transp. ante πνευματικὴ r ‖ 3 ἀγάπη δὲ : θυμὸν δὲ r ‖ τὰ om. LKr ‖
φλεγμαίνοντα μόρια τοῦ θυμοῦ om. r ‖ post θεραπεύει add. ἀγάπη r ‖ 4
πονηρὰς δὲ ἐπιθυμίας : ἐπιθυμίαν δὲ r ‖ ἐπιρρεούσας : ῥέουσαν r

---

Ce mot est bien en place : la table est le symbole de
l'hospitalité, cf. *TP* 26 ; dans le texte scripturaire, cette
table est celle des pains de proposition et, selon l'exégèse
que fait Origène à la suite du texte cité ci-dessus, ces pains
représentent « la parole apostolique ». Le gnostique exercera l'hospitalité, qui est une des formes de la charité, en
s'adonnant à l'enseignement (cf. ci-dessus, ch. 7) : « ceux
qui se présentent » sont les disciples. Les tentations dont il
doit alors se garder sont surtout les hérésies.

Ce texte n'a pu être identifié dans les écrits connus
d'Athanase (cf. Introd., p. 22, n. 18) ; il s'agit cependant,
probablement, d'une source écrite (φησί), Évagre n'ayant
pu connaître Athanase, mort (373) quelque dix ans avant
sa venue en Égypte.

47. *L'ange de l'Église de Thmuis* : expression empruntée
à *Apoc.* 2, 1, 8, 12 ; 3, 1, 7, 14, désignant le chef de l'Église
de ce lieu. Le mot « ange » évoque peut-être ici le fait que
Sérapion, avant de devenir évêque de Thmuis, mena
longtemps la vie monastique (dite « angélique »), d'abord

47

L'ange de l'Église de Thmuis, Sérapion, disait que l'intellect est purifié parfaitement quand il a bu la science spirituelle, que la charité guérit les parties enflammées de l'irascibilité, et que le flux des désirs mauvais est arrêté par l'abstinence.

comme disciple de saint Antoine, puis comme supérieur d'une communauté monastique; il fut un ami de saint Athanase, cité dans le précédent chapitre. Seul parmi les traducteurs, S_2 a correctement identifié le nom de la ville de Thmuis (en Basse Égypte) : S_1 porte, selon les manuscrits, soit Thadmor, c'est-à-dire Palmyre (cf. texte de Frankenberg), soit Thmour, forme retenue par S_3; *Arm.* «des Ormites» (habitants de la ville d'Ourmia?) est dû probablement à une confusion, à l'initiale, entre Θ et O.

Quand il a bu la science spirituelle : la leçon de Socrate πεπωκώς au lieu de πεπτωκώς, «quand il est tombé», des mss JLK est aussi celle de toutes les versions et doit être retenue. «Science», γνῶσις, est la leçon des témoins grecs, selon deux constructions différentes : Socrate «qui a bu la science (γνῶσιν) spirituelle», JLK «est purifié par la science (γνῶσει) spirituelle» (le ms. r a «la science spirituelle le purifie»); c'est aussi la leçon des versions S_1 et S_3. Mais S_2 «qui a bu la boisson spirituelle» et *Arm.* «qui est imprégné par les boissons spirituelles» ont lu probablement πόσιν, résultat d'un accident paléographique entraîné par la présence de πεπωκώς.

Pour la métaphore de la boisson servant à désigner la science ou la contemplation spirituelle, voir *Moines* 119 : «Sang du Christ est la contemplation des êtres, et celui qui le boit sera rendu sage par lui» (pour la référence eucharistique, voir ci-dessus, ch. 14); *KG* V, 13 : «Le nuage intelligible (cf. *I Rois* 18, 44), est la nature raisonnable à qui il a été confié par Dieu de donner à boire à ceux qui dorment loin de lui» (les anges ont pour mission

< μη′ >

Τοὺς περὶ προνοίας καὶ κρίσεως κατὰ σαυτὸν ἀεὶ γύμναζε
λόγους, φησὶν ὁ μέγας καὶ γνωστικὸς διδάσκαλος Δίδυμος, καὶ
τούτων τὰς ὕλας διὰ μνήμης φέρειν πειράθητι· ἅπαντες γὰρ
σχεδὸν ἐν τούτοις προσπταίουσι. Καὶ τοὺς μὲν περὶ κρίσεως
5 λόγους ἐν τῇ διαφορᾷ τῶν σωμάτων καὶ τῶν κόσμων εὑρήσεις·
τοὺς δὲ περὶ προνοίας ἐν τοῖς τρόποις τοῖς ἀπὸ κακίας καὶ
ἀγνωσίας ἐπὶ τὴν ἀρετὴν ἢ ἐπὶ τὴν γνῶσιν ἡμᾶς ἐπανάγουσι.

---

48. Adest apud Socratem

5 τῶν κόσμων e versionibus correximus : κατὰ τὸν κόσμον Socrates

---

d'enseigner aux hommes la contemplation spirituelle); *in
Prov.* 9, 2 (sch. 104, p. 202-203) : «Le 'cratère', c'est la
science spirituelle qui comprend les raisons concernant les
incorporels et les corps, le jugement et la providence»
(c'est-à-dire l'ensemble de la contemplation spirituelle); le
«cratère» où la Sagesse mêle son breuvage est pareillement
interprété comme désignant allégoriquement la contemplation des corps et celle des incorporels dans *KG* V, 32,
texte cité ci-dessus, sous le ch. 14.

La pureté de l'intellect, obtenue par l'impassibilité, est
une condition de l'accès à la contemplation spirituelle,
mais, inversement, celle-ci contribue à «parfaire» la
purification de l'intellect.

La deuxième proposition, «la charité… de l'irascibilité»,
est conservée, en grec et sous le nom d'Évagre, littéralement dans les *Loci Communes* du Pseudo-Maxime (*PG* 91,
757 C) et, avec une légère variante (φλεγόμενα), dans les
Sacra Parallela pseudo-damascéniens (*PG* 95, 1204 A), cf.
Introd., p. 19, n. 10.

La première proposition est citée, d'après S₁, par Babaï
le Grand dans son commentaire de *KG* V, 76 (éd.
Frankenberg, p. 352).

48

*Médite constamment sur les raisons concernant la
providence et le jugement, a dit le grand maître gnostique
Didyme, et efforce-toi d'en garder dans ta mémoire la
matière; presque tous, en effet, achoppent à leur propos.
Tu trouveras les raisons concernant le jugement dans la
diversité des corps et des mondes, et celles qui concernent la
providence, dans les dispositions qui nous font remonter de
la malice et de l'ignorance à la vertu ou à la science.*

Avec l'ensemble de ce chapitre, comparer *KG* III, 35 :
«La science guérit l'intellect, la charité, l'irascibilité et la
chasteté la concupiscence...» (le texte grec donné par
MUYLDERMANS, *Tradition manuscrite*, p. 85, comme étant
celui du chapitre de KG, est en réalité celui du présent
chapitre du *Gnostique*, librement traité, cf. Introd., p. 49);
comparer aussi *TP* 15 et 38 (avec la note afférente).

Ce texte attribué à Sérapion de Thmuis n'a pu être
retrouvé dans les œuvres conservées sous le nom de cet
auteur, cf. Introd., p. 22. n. 18. Le rapprochement avec
Contra Manichaeos XLV, 27, proposé par R. P. CASEY,
Serapion of Thmuis. Against the Manichees, Cambridge
(Mass.) 1931, p. 15, trop lointain, ne peut être retenu. Le
mot ἔλεγεν peut donner à penser, comme au ch. 44, qu'il
s'agit d'un enseignement oral, mais qu'Évagre n'aurait pu
recevoir directement de Sérapion, celui-ci étant mort aux
alentours de 360.

48. Ce chapitre est le dernier de ceux qui sont cités par
SOCRATE, d'où la formule finale : «Tels sont les extraits
d'Évagre que nous avons présentés ici».

Médite, litt. «exerce-toi en toi-même» : dans l'expression
γυμνάζειν τοὺς λόγους, telle que l'utilise Évagre, le mot λόγοι
est pris en des sens divers, sur lesquels Évagre paraît jouer,
soit simplement «paroles» (cf. *TP* 94), soit «sujets»,
«questions», difficiles, qui demandent réflexion (cf. *Huit*

Esprits 10, fin : «Celui qui est sans rancune médite sur les questions spirituelles et reçoit pendant la nuit la solution des mystères»); ici le mot est pris dans le sens technique qu'il a souvent chez Évagre, cf. Introd., p. 29. Comparer *in Prov.* 31, 13 (sch. 373, p. 462-463) : «Elle ʻretord la laine et le lin', l'âme qui médite les raisons (γυμνάζουσα τοὺς λόγους) concernant les êtres animés et inanimés ou qui examine les raisons concernant la pratique et la physique».

Les raisons concernant la providence et le jugement (les mots ⲓⲉⲗ, «en effet» et ⲝⲃ ⲁⲗⲛ, «(jugement) à venir» qui se lisent dans le texte de Frankenberg sont absents de la plupart des mss de S_1 ainsi que des autres versions) : cette locution, fréquente chez Évagre, est relative à un élément important de sa métaphysique. La suite du chapitre explique ce qu'il faut entendre par là : il s'agit des idées qui ont présidé aux «dispositions» prises par Dieu, dans sa «providence», pour rendre possible le salut des êtres raisonnables déchus de leur état premier, et cela, en attribuant à chacun, à la suite d'un «jugement», le corps et le monde qui lui conviennent (pour un aperçu général de cette doctrine, voir A. GUILLAUMONT, *Les Képhalaia Gnostica*, p. 37-39 et 241-252); entre autres textes, voir *in Ps.* 138, 16 (*PG* 12, 1661 CD), où Évagre fait l'exégèse du «livre de Dieu», défini comme «la contemplation des corps et des incorporels ... Dans ce livre sont inscrites les raisons de la providence et du jugement et par lui Dieu est connu comme créateur, sage, provident et juge : ... provident, à cause de ce qui contribue à nous mener à la vertu et à la science ; juge, d'autre part, à cause des corps différents des êtres raisonnables, des mondes divers et des siècles qui les contiennent».

Le grand maître gnostique Didyme : emploi analogue de cette qualification de «gnostique» dans *TP* 98, à propos d'un personnage dont on peut penser qu'il s'agit précisément de Didyme (voir la note *ad loc.*); même emploi dans

Prière 72 et *KG* VI, 45. «Maître» : on sait par Rufin (*Hist. Eccl.* II, 7) que Didyme, devenu très savant malgré sa cécité, fut «didascale» de l'École d'Alexandrie, *scholae ecclesiasticae doctor.*

Achoppent à leur propos : peut-être écho de *Jac.* 3, 2, πολλὰ γὰρ πταίομεν ἅπαντες. Sur la difficulté qu'il y a à connaître les raisons de la providence et du jugement, comparer *Moines* 132 : «Les raisons de la providence sont obscures, et difficiles à comprendre les contemplations du jugement»; aussi ne faut-il les exposer que devant ceux qui en sont capables, car mieux vaut ne pas les connaître que les mal comprendre, cf. ci-dessus, ch. 36.

La diversité des corps et des mondes : τῶν κόσμων, leçon restituée d'après les versions *S₁ S₃* et *Arm.* (*S₂* «du monde»), au lieu du texte de Socrate κατὰ τὸν κόσμον, «selon le monde» (cependant un manuscrit de Socrate, suivi par Nicéphore et la version arménienne, a τοῦ κόσμου, cf. *S₂*) : τῶν κόσμων a été altéré en τὸν κόσμον, qui a été ensuite diversement corrigé. Pour l'expression et pour celle qui suit, «font remonter de la malice et de l'ignorance à la vertu ou à la science», comparer le texte de *in Ps.* 138, 16, cité ci-dessus. Pour la corrélation entre vertu ou science, vice et ignorance, voir ci-dessus, ch. 17 (avec la note).

Les commentaires scripturaires de Didyme étaient lus dans l'entourage d'Évagre aux Kellia (cf. Pallade, *HL* 11, éd. Butler p. 34, 7, à propos d'Ammonios, compagnon d'Évagre); mais il est vraisemblable qu'Évagre ait rencontré Didyme lui-même au cours des visites qu'il faisait à Alexandrie (cf. *Historia Monachorum*, rec. gr., ch. 20, éd. Festugière p. 123); il pourrait donc s'agir ici d'un enseignement oral. Le mot φησίν peut donner à penser qu'il s'agit plutôt d'une source écrite, mais ce texte n'a pas été retrouvé dans ce que l'on connaît aujourd'hui de l'œuvre de Didyme, cf. Introd., p. 22, n. 18.

< μθ′ >

---

49. Deest graece

---

49. Dans ce chapitre, qui forme, avec le suivant (dans S_1 les deux chapitres n'en font qu'un), comme une conclusion à l'ensemble *Traité pratique* et *Gnostique*, Évagre reprend la division tripartite posée au principe dans *TP* 1, πρακτική, φυσική, θεολογική ou θεολογία.

Le but de la pratique... : la pratique a pour effet de rendre impassible la partie passionnée de l'âme, cf. ci-dessus, ch. 2, et *TP* 78 (avec la note) ; mais son but est de purifier par là l'intellect lui-même, afin de lui permettre l'accès de la contemplation.

Tous les êtres, entendre les êtres créés, τὰ γεγονότα ; le texte grec de ce membre de phrase était probablement τὴν ἀλήθειαν κεκρυμμένην ἐν πᾶσι τοῖς γεγονόσιν.

Des matières : le mot ὕλαι est donné par S_3 ⲣⲗⲁⲏ et par *Arm.* ⟨ⲏⲯⲃⲙⲩⲏⲯⲑⲣ⟩ ; rendu plus librement par S_1 «toutes les (choses) terrestres» et S_2 «toutes les créatures».

Éloigner l'intellect... le tourner..., traduction de S_1 S_2 et *Arm.* On pourrait aussi traduire, en suivant S_3 : «Que l'intellect s'éloigne... se tourne...» ; le texte grec était probablement équivoque : τὸ ἀφίστασθαι τὸν νοῦν ἀπὸ τῶν ὑλῶν καὶ τρέπεσθαι πρός...

Vers la Cause première, selon S_3. S_1 traduit «vers la science principale (ou ' première ,) de tout», S_2 «vers le Bien premier qui est le principe et la cause de tout » (*Add 17165* ; *Add 17167* «de la vie»). *Arm.* «vers lui-même, le Premier (le) peut, mais...» est certainement un texte corrompu (peut-être faut-il corriger ⟨ⲏⲯⲍⲩⲧ ⲙⲩⲥ⟩ en ⟨ⲏⲯⲍⲩⲧⲙⲩⲟ⟩, «vers le premier Souverain lui-même»). Le texte grec portait vraisemblablement πρὸς τὴν πρώτην αἰτίαν ; pour cette désignation de Dieu, comparer GRÉGOIRE DE NAZIANZE, *Discours* 28, 13 (éd. Gallay, *SC* 250, p. 128) : «Toute la nature raisonnable

49

Le but de la pratique est de purifier l'intellect et de le rendre impassible; celui de la physique est de révéler la vérité cachée dans tous les êtres; mais éloigner l'intellect des matières et le tourner vers la Cause première, c'est là un don de la théologie.

désire Dieu et la première Cause, ἐφίεται... θεοῦ καὶ τῆς πρώτης αἰτίας»; Évagre emploie une expression analogue dans la lettre 58 (texte grec éd. C. Guillaumont, *Fragments grecs*, p. 207) : « Il faut que l'intellect, franchissant toutes les représentations, parvienne ainsi jusqu'à celui qui est la cause et le père des intelligibles, πρὸς τὸν αἴτιον καὶ πατέρα τῶν νοητῶν».

C'est un don de la théologie, traduction fondée sur S_1 S_3 et S_2 (qui ajoute «grand» à «don»); pour *Arm.*, au lieu du texte de Sarghisian «il le donne en don de la puissance de la science divine», lire, comme les mss 1552 de Venise (cité en apparat) et Nouvelle-Djoulfa 114 (cf. Introd., p. 63) : «C'est un don de la science divine»; «science divine», dans *Arm.*, rend ici θεολογική (ou θεολογία), comme «les paroles divines» dans la version de *TP* 1; ce mot est rendu selon un procédé analogue de décomposition dans S_2 et S_3 «les paroles concernant la divinité» (S_3 «Dieu»); S_1 l'a traduit par «la vision (ou ' la contemplation') de Dieu».

En traduisant par : «Le but de l'enseignement de la pratique ... le but de l'enseignement de la physique...», S_2 a, semble-t-il, correctement explicité la signification et la raison d'être ici de ce chapitre : en enseignant la pratique aux uns, les vérités gnostiques aux autres, le gnostique vise à purifier les «impurs» et à éclairer les «purs» (cf. ch. 3), de façon à les rendre aptes à la «théologie»; mais l'accès de celle-ci ne relève pas seulement de l'enseignement : il suppose le don de la grâce. Ainsi compris, le chapitre forme une meilleure conclusion à ce livre, qui porte essentiellement sur l'enseignement du gnostique.

< ν' >

Πρὸς τὸ ἀρχέτυπον βλέπων ἀεὶ πειρῶ γράφειν τὰς εἰκόνας
μηδὲν παρεὶς τῶν συντελούντων πρὸς τὸ κερδᾶναι τὴν
ἐκπεσοῦσαν.

---

50. Adest in JLK

---

50. *Le regard tourné vers l'archétype*, ἀρχέτυπον : dans *TP*
89, 14 Évagre emploie de même, pour désigner Dieu, dont
l'homme est image (εἰκών, cf. *Gen.* 1, 26), le mot
προτώτυπον ; il semble utiliser indifféremment ces deux
termes. Emploi similaire du mot ἀρχέτυπον chez GRÉGOIRE
DE NAZIANZE, *Discours* 28, 17 : l'homme ne connaîtra la
nature de Dieu que «lorsque l'image sera remontée vers
l'archétype» (éd. Gallay, *SC* 250, p. 134 ; voir aussi *Disc.* 1,
4 et 8, 6). «Le regard tourné vers...» : l'expression évoque
le célèbre passage du *Timée* 29 a, où PLATON dit du
démiurge qu'en créant le monde il avait le regard tourné
vers (ἔβλεπεν πρός) le Modèle éternel. Pour la comparaison
avec l'image peinte et l'archétype, cf. PLOTIN, *Ennéades*
VI, 4, 10.

Dessiner les images : S_1, «ton image», et S_2, «ta
ressemblance», ont cru qu'Évagre invitait ici le gnostique
à travailler à parfaire en lui-même la ressemblance divine
(cf. PLOTIN, *Enn.* I, 6, 9, comparaison analogue avec le
travail du sculpteur). Le gnostique doit retracer l'image de
Dieu chez ses disciples.

Gagner celle qui est déchue : l'emploi néo-testamentaire
du verbe κερδᾶναι, pris au sens figuré (cf. *Matth.* 18, 15, «tu
auras gagné ton frère» qui a péché ; cf. *I Cor.* 9, 19, 22 et
I Pierre 3, 1) a échappé à S_1, «ne néglige pas ton profit en
te procurant (litt. «achetant») tout ce qui se présente à
toi», et à S_2, «ne laisse rien échapper qui peut t'amener à

50

En ayant constamment le regard tourné vers l'archétype, efforce-toi de dessiner les images sans rien négliger de ce qui contribue à gagner celle qui est déchue.

acquérir un plein profit» (*Add. 17165*; *Add. 14616* a seulement «... qui t'aidera à acquérir»); ce faux-sens en a entraîné un autre dans S_1 sur le dernier mot, τὴν ἐκπεσοῦσαν (non traduit dans S_2); même méprise dans *Arm.* «ne néglige rien en vue de réussir à gagner ce qui (ou «celle qui», *np*) vient sous la main». Seul, parmi les traducteurs, S_3 a correctement compris et rendu l'ensemble de la phrase. ἐκπεσοῦσαν est à entendre comme dans *TP* 24, 7, τῆς γνώσεως ἐκπεσών, à propos de l'intellect qui «déchoit» de la science. Allusion probable, ici, à la chute primordiale des intellects; par son enseignement le gnostique doit les aider à se relever de leur déchéance et à retourner en leur premier état, où ils furent créés à l'image de Dieu; et, pour cela, avoir les yeux fixés sur le Modèle qu'est Dieu : il doit donc être, dans une certaine mesure, théologien (voir le chapitre précédent). Ce chapitre fait ainsi, avec le précédent, une belle conclusion à ce livre consacré à l'enseignement du gnostique.

Dans les deux manuscrits de S_2, ce chap. 50 comporte une addition, absente dans tous les autres témoins : «Le moine parfait sera appelé une ville; parfait est celui qui, grâce au Christ, a été purifié, dans son corps et dans son âme, et, se connaissant lui-même, exalte la volonté de son Créateur». Ce texte (édité dans MUYLDERMANS, *Evagriana Syriaca*, p. 73), dont la provenance n'est pas identifiée, est certainement étranger à ce chapitre (auquel il a été ajouté peut-être par suite du contresens commis par le traducteur, cf. note précédente, pour définir ce qu'est «le plein profit» spirituel) et étranger au livre lui-même.

TABLE DE CORRESPONDANCE DES CHAPITRES
dans la présente édition et dans l'édition de Frankenberg

Présente édition	Frankenberg	Présente édition	Frankenberg
1	104	26	130[b]
2	105	27	131
3	106	28	132
4	107	29	133
5	108	30	134
6	109	31	135[a]
7	110	32	135[b]
8	111[a]	33	136
9	111[b]	34	137
10	112	35	138
11	113	36	139
12	114	37	140[a]
13	115	38	140[b]
14	116	39	141
15	117	40	142
16	118	41	143
17	119	42	144
18	120	43	145
19	121	44	146
20	122-123	45	147
21	124	46	148
22	125	47	149
23	126	48	150
24	127	49	151[a]
25	128-129-130[a]	50	151[b]

INDEX DES RÉFÉRENCES SCRIPTURAIRES

Dans les colonnes de droite, les premiers chiffres, en caractère gras, renvoient au chapitre, les suivants à la ligne. Quand le texte grec manque, la référence renvoie à la ligne de la traduction.

INDEX DES MOTS GRECS

Le premier chiffre, en caractère gras, renvoie au chapitre, le second à la ligne. L'Index comprend tous les termes qui ont un sens plein, laissant de côté les mots-outils. L'astérisque signale les mots restitués.

εὑρίσκειν, **48,** 5.
ἐφάπτειν, **5,** 2.
ἐφιέναι, **30,** 1.
ἔχειν, **15,** 2 ; **30,** 1 ; **41,** 1.

ζητεῖν, **21,** 2.
ζωή, **37,** 2.

ἡμεῖς, **4,** 1 ; **21,** 4 ; **48,** 7.

θάνατος, **21,** 4.
θαυμάζειν, **32,** 2.
θεῖος, **27,** 1.
θεολογεῖν, **27,** 1.
θεολογική (ἡ), **13,** 2.
θεός, **4,** 2 ; **21,** 3 ; **45,** 3.
θεραπεύειν, **33,** 1 ; **47,** 3.
θεωρεῖν, **44,** 4 ; **45,** 8.
θεωρία, **44,** 1.
Θμουΐτης, **47,** 1.
θυμός, **4,** 5 ; **31,** 1 ; **47,** 3.

ἰᾶσθαι, **33,** 2, 3.
ἴδιος, **41,** 2 ; **44,** 9.
ἱερός, **24,** 3.
ἵσταναι, **42,** 2 ; **46,** 2 ; **47,** 4.
ἴσως, **33,** 1.

καθαίρειν, **47,** 2.
καθαρός, **3,** 2.
καθυβρίζειν, **37,** 2.
Καϊάφας, **21,** 3.
καιρός, **15,** 1 ; **45,** 6.
κακία, **28,** 1 (2) ; **48,** 6.
καππαδόκης, **45,** 1.
καταδικάζειν, **36,** 3.
καταλαλεῖν, **32,** 1.
κατανύττειν, **5,** 4.
καταφέρειν, **29,** 3.
καταφρόνησις, **36,** 2.
κατηγορεῖν, **32,** 2 ; **41,** 1.
κατορθοῦν, **6,** 3.
κερδαίνειν, **50,** 2.
κέρδος, **24,** 1.

κιβωτός, **38,** 2.
κινεῖν, **5,** 3.
κοσμικός, **13,** 1 ; **36,** 1.
κόσμος, **48,** 5.
κρατεῖν, **31,** 1.
κρατύνειν, **45,** 3.
κρίσις, **36,** 1 ; **48,** 1, 4.
κτᾶσθαι, **2,** 2.
Κύριος, **13,** 3 ; **33,** 1 ; **38,** 3.

λαμβάνειν, **41,** 3.
λανθάνειν, **6,** 2 ; **33,** 1 ; **36,** 1.
λέγειν, **15,** 3 ; **24,** 2 ; **29,** 1 ; **41,** 3 ;
    44, 3 ; **47,** 1.
λευΐτης, **38,** 2.
λογικός, **30,** 2 ; **36,** 3.
λόγος, **3,** 1 ; **21,** 1.
λόγος (« raison »), **1,** 1 ; **4,** 1, 4 ; **15,**
    1 ; **22,** 2 ; **36,** 2 ; **44,** 4, 10 ; **48,**
    2, 5.

μανθάνειν, **44,** 2.
μέγας, **9,** 2 ; **48,** 2.
μελέτη, **45,** 3.
μεριμνᾶν, **38,** 1.
μέρος, **2,** 1 ; **13,** 3 ; **46,** 2.
μετέχειν, **9,** 1.
μιμνήσκεσθαι, **38,** 2.
μισεῖν, **28,** 1.
μίσος, **32,** 4.
μνήμη, **48,** 3.
μνησικακία, **32,** 4.
μοναχός, **13,** 1.
μόνον, **2,** 2.
μόνος, **44,** 5 ; **45,** 6.
μόριον, **47,** 3.
Μωϋσῆς, **46,** 2.

ναός, **24,** 3.
νέος, **31,** 1 ; **36,** 1.
νοεῖν, **1,** 1.
νοερός, **44,** 4.
νόμος, **15,** 2.
νοῦς, **4,** 4 ; **6,** 5 ; **42,** 1 ; **45,** 7 ; **47,** 2.

INDEX DOCTRINAL

Les chiffres renvoient aux chapitres, compte tenu du commentaire.

Prophétie : en exégèse, 18.

Proposition : en logique, ses différents prédicats, 41.

Prudence : parmi les vertus de la contemplation, son rôle, 44.

Purification : de l'homme intérieur, 14 ; de l'intellect, 47, 49 ; purs et impurs, 3.

Raisons (= *logoi*) : leur rôle dans la science profane et la science spirituelle, 4 ; r. et lois, 15 ; r. de la pratique, 1 ; des êtres, 22 ; des corps et des incorporels, 25 ; des puissances intelligentes et saintes, 44 ; concernant le jugement, 36 ; concernant la providence et le jugement, 48 ; leur multiplicité, 40. Voir Introd. p. 29.

Recherche : 18, 43 ; 48 («médite»).

Royaume des cieux : en parallèle avec science, opposé à tourments, 17.

Sagesse : fait connaître les raisons, 44.

Salut : 22, 28, 50 ; enseigner ce qui est utile au salut, 12, 13.

Scandale : 12, 25.

Science : distinction entre sc. profane et sc. spirituelle, 4, 45 ; sc. opposée à ignorance, 17, 48 ; sc. spirituelle, 47 ; comparée aux rayons de miel, 25 ; s'entretient elle-même, 9 ; sc. fausse, 43.

Séculiers : 13, 36.

Semences : de la vérité, 44.

Silence : adorer Dieu en silence, 41 ; cf. 27.

Simples, les : 44.

Soucis : le gnostique doit en être exempt, 10, 38.

Tentation : des gnostiques, 42 (définition), 32, 46.

Théologie : science de Dieu, troisième partie de la vie spirituelle, 12, 13, 18, 20, 49 ; parler de Dieu, 27.

Tourments : infernaux, 17, 36.

Trinité : 18, 41.

Tristesse : le gnostique doit en être exempt, 10, 22.

Vaine gloire : 24.

Vérité : 22 (citation scripturaire), 25, 44, 49, 45 (Basile, colonne de la v.), 40 (raison véritable des objets).

Vertu : toutes les v. sont nécessaires au gnostique, 5 ; interdépendance des v., 6 ; v. et vices, 17 ; v. et déréliction, 28 ; les quatre v. de la contemplation, 44 ; v. associée à la science, 48.

Vices : voir Mal.

Vision : des choses gnostiques, 1 ; des objets de la science spirituelle, 4 ; regard tourné vers l'archétype, 50.

TABLE GÉNÉRALE DES MATIÈRES

SOURCES CHRÉTIENNES

Fondateurs : H. de Lubac, s.j.
† J. Daniélou, s.j.
C. Mondésert, s.j.
Directeur : D. Bertrand, s.j.
Directeur-adjoint : J.-N. Guinot

Dans la liste qui suit, dite « liste alphabétique », tous les ouvrages sont rangés par nom d'auteur ancien, les numéros précisant pour chacun l'ordre de parution depuis le début de la collection. Pour une information plus complète, on peut se procurer deux autres listes au secrétariat de « Sources Chrétiennes » — 29, rue du Plat, 69002 Lyon (France) — Tél. : 78 37 27 08 :

1. La « liste numérique », qui présente les volumes et leurs auteurs actuels d'après les dates de publication ; elle indique les réimpressions et les ouvrages momentanément épuisés ou dont la réédition est préparée.
2. La « liste thématique », qui présente les volumes d'après les centres d'intérêt et les genres littéraires : exégèse, dogme, histoire, correspondance, apologétique, etc.

LISTE ALPHABÉTIQUE (1-356)

SOUS PRESSE

EN PRÉPARATION

Également aux Éditions du Cerf

LES ŒUVRES DE PHILON D'ALEXANDRIE
publiées sous la direction de

R. Arnaldez, C. Mondésert, J. Pouilloux.

Texte original et traduction française.

1. **Introduction générale. De opificio mundi.** R. Arnaldez (1961).
2. **Legum allegoriae.** C. Mondésert (1962).
3. **De cherubim.** J. Gorez (1963).
4. **De sacrificiis Abelis et Caini.** A. Méasson (1966).
5. **Quod deterius potiori insidiari soleat.** I. Feuer (1965).
6. **De posteritate Caini.** R. Arnaldez (1972).
7-8. **De gigantibus. Quod Deus sit immutabilis.** A. Mosès (1963).
9. **De agricultura.** J. Pouilloux (1961).
10. **De plantatione.** J. Pouilloux (1963).
11-12. **De ebrietate. De sobrietate.** J. Gorez (1962).
13. **De confusione linguarum.** J.-G. Kahn (1963).
14. **De migratione Abrahami.** J. Cazeaux (1965).
15. **Quis rerum divinarum heres sit.** M. Harl (1966).
16. **De congressu eruditionis gratia.** M. Alexandre (1967).
17. **De fuga et inventione.** E. Starobinski-Safran (1970).
18. **De mutatione nominum.** R. Arnaldez (1964).
19. **De somniis.** P. Savinel (1962).
20. **De Abrahamo.** J. Gorez (1966).
21. **De Iosepho.** J. Laporte (1964).
22. **De vita Mosis.** R. Arnaldez, C. Mondésert, J. Pouilloux, P. Savinel (1967).
23. **De Decalogo.** V. Nikiprowetzky (1965).
24. **De specialibus legibus.** Livres I-II. S. Daniel (1975).
25. **De specialibus legibus.** Livres III-IV. A. Mosès (1970).
26. **De virtutibus.** R. Arnaldez, A.-M. Vérilhac, M.-R. Servel et P. Delobre (1962).
27. **De praemiis et poenis. De exsecrationibus.** A. Beckaert (1961).
28. **Quod omnis probus liber sit.** M. Petit (1974).
29. **De vita contemplativa.** F. Daumas et P. Miquel (1964).
30. **De aeternitate mundi.** R. Arnaldez et J. Pouilloux (1969).
31. **In Flaccum.** A. Pelletier (1967).
32. **Legatio ad Caium.** A. Pelletier (1972).
33. **Quaestiones in Genesim et in Exodum. Fragmenta graeca.** F. Petit (1978).
34 A. **Quaestiones in Genesim,** I-II (e vers. armen.). Ch. Mercier (1979).
34 B. **Quaestiones in Genesim,** III-VI (e vers. armen.). Ch. Mercier et F. Petit (1984).
34 C. **Quaestiones in Exodum,** I-II (e vers. armen.) (en prép.).
35. **De Providentia,** I-II. M. Hadas-Lebel (1973).
36. **Alexander (De animalibus).** A. Terian (1988).
37. **Hypothetica.** M. Petit (en prép.).

IMPRIMERIE A. BONTEMPS
LIMOGES (FRANCE)

Registre des travaux :
DÉPÔT LÉGAL : mai 1989
IMPRIMEUR N° 21613-88 — ÉDITEUR N° 8835